PEINTURE SUR TISSU

A Gianna

© 1997 R.C.S. Libri S.p.A., Milan
Cette édition est publiée en 1998 par Celiv, Paris

ISBN 2-86535-404-0

Imprimé en Italie

C ELIV

PEINTURE SUR TISSU

Mariatta Macchiavelli

GRANDS MANUELS

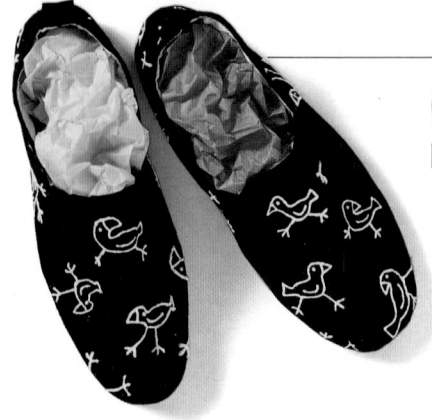

SOMMAIRE

L'ART SUR TISSU

MOTIFS POUR POCHOIR

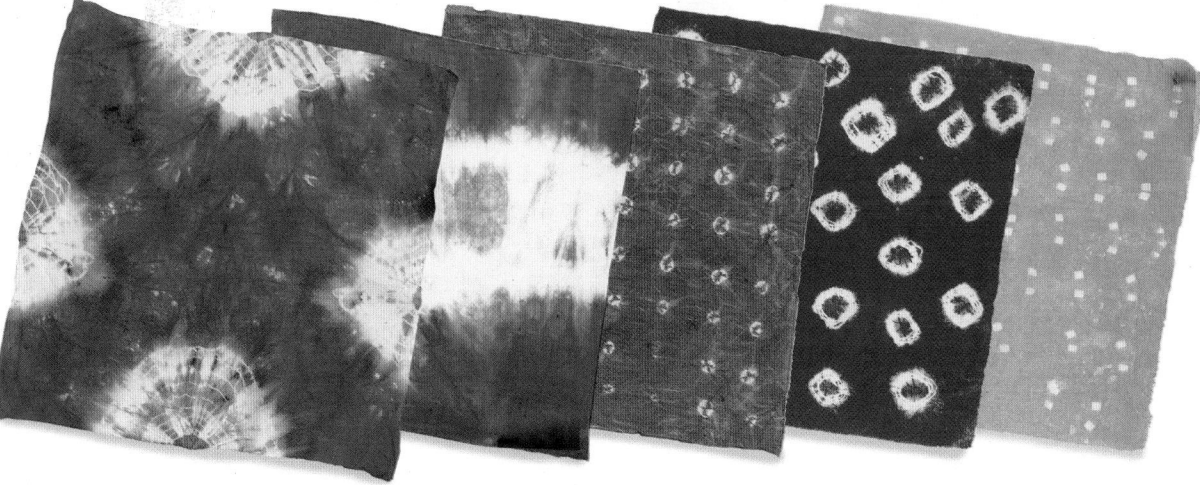

INTRODUCTION

La peinture sur tissu est une technique de décoration généralement considérée, du moins par nous occidentaux, comme un art dit mineur. Pourtant l'utilisation du tissu nous reporte d'une certaine façon directement aux origines de la peinture elle-même quand, déjà à l'époque de la Renaissance, la simple toile de lin ou de chanvre servait de matière première pour préparer la toile du peintre. Toutefois, j'ai privilégié dans ce manuel plutôt que ce procédés picturaux, les techniques de teinture des tissus, qui recèlent souvent des secrets séculaires de manualité savante. Mon désir est de réussir à stimuler votre fantaisie et créativité en vous proposant toute une série de points de départ et d'idées à copier. Ceux qui s'attendent à trouver l'habituel coussin en soie avec le papillon géant peint en couleurs éclatantes, seront déçus; par contre, si vous voulez recouvrir un vieux divan ou votre fauteuil préféré avec un nouveau tissu, ou encore si vous aimez le «tie & dye», technique actuellement très en vogue dans la foulée de la redécouverte des années soixante-dix, vous trouverez sûrement intéressantes les idées proposées. Le manuel est subdivisé en chapitres qui correspondent aux différentes techniques, accompagnées d'images qui faciliteront l'exécution du travail. J'ai volontairement exclu la peinture sur soie et le batik car il s'agit de processus artistiques de grande tradition antique qui demanderaient à être traités monographiquement. Par contre, j'ai choisi de privilégier des techniques d'exécution facile aux résultats sûrement satisfaisants, comme le pochoir, désormais très répandu, car il permet de décorer également de grandes surfaces: on peut même se risquer à créer des tissus pour l'ameublement. Par ailleurs j'ai proposé des méthodes et du matériel plutôt inhabituel pour la peinture sur tissu, comme par exemple les crayons à l'huile, dont beaucoup de gens ignorent la versatilité; enfin quantité d'idées insolites, comme le trompe-l'œil sur tissu pour animer la chambre des enfants.

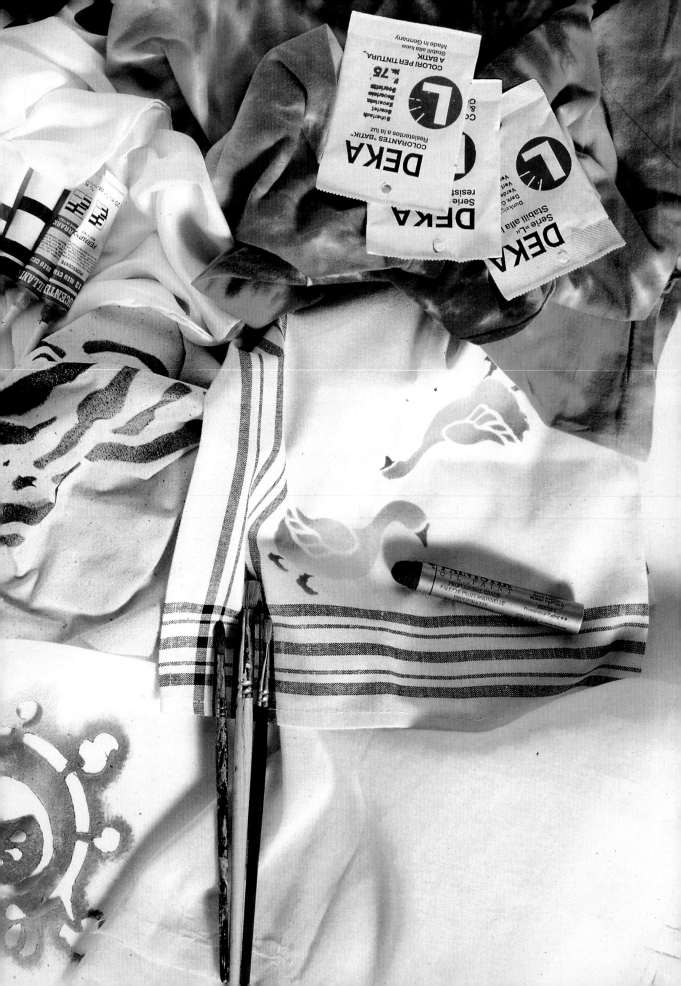

LES MATÉRIAUX

LES TISSUS

Avant de se disposer à peindre sur tissu, il faut préalablement savoir quel sera le tissu à traiter; le même type de peinture donne des résultats très différents selon le matériel sur lequel il est appliqué. Si la couleur de base est fondamentale, la trame et l'apprêt le sont également et ils modifient considérablement l'exécution ainsi que l'aspect final du travail.

Il faudra tenir compte également de l'usage qui en sera fait. Un torchon de cuisine va souvent au lave-linge à haute température et doit nécessairement avoir des caractéristiques de résistance plus fortes que celles d'une étoffe utilisée pour des coussins ou des fauteuils donc moins sujette à l'usure. Naturellement, il faut, de toute façon, commencer par des essais. Même si l'on connaît la nature et la composition des tissus, fait qui nous donne des informations très utiles, ce n'est qu'après plusieurs essais que l'on pourra être sûr de ne pas risquer d'erreurs.

Il est sans aucun doute préférable d'utiliser des tissus en fibres naturelles: cette suggestion est presque indispensable à la bonne réussite du travail. Les fibres naturelles se divisent en fibres animales, comme la laine et la soie, et végétales, comme le coton, le lin et la viscose. Dans les ouvrages présentés dans les pages suivantes, j'ai travaillé en particulier sur ces dernières et sur des fibres de soie sauvage.

Pour reconnaître une fibre naturelle d'une fibre synthétique, on peut recourir à la méthode classique du briquet. Après avoir enflammé un bout de tissu, il faut en contrôler les résidus: s'ils sont noirs, rigides, ont l'aspect du plastique, il s'agira d'une fibre synthétique, par contre si la flamme brûle lentement et que le tissu se transforme en cendres, il s'agit d'une fibre naturelle. Enfin souvenez-vous qu'il vaut toujours mieux travailler sur du tissu blanc ou écru car, si l'on peint sur une base colorée, on rencontre des difficultés considérables et les teintes ne s'avèrent jamais pures.

LE LIN

Il a toujours été considéré comme le tissu naturel par excellence. Son poids peut être très variable : il en existe effectivement des versions très légères et d'autres particulièrement lourdes. Il se chiffonne très facilement, aspect considéré comme une caractéristique de ce noble tissu. Indépendamment des moyens picturaux et des techniques employées, les résultats seront toujours excellents. La couleur garde son éclat et elle est parfaitement retenue par les fibres. On l'utilise aussi bien dans l'habillement que dans l'ameublement, et surtout pour les trousseaux des épouses.

LA SOIE SAUVAGE

Ce n'est pas un tissu très répandu. Il s'avère souple, mais a une trame «épaisse» et il ressemble un peu à certains chanvres lourds. La soie sauvage est un tissu parfait pour l'ameublement. Peinte sur grands panneaux, en particulier à l'aide des techniques à pochoir ou poncif, on peut l'utiliser pour recouvrir des fauteuils, des divans et des têtes de lit.

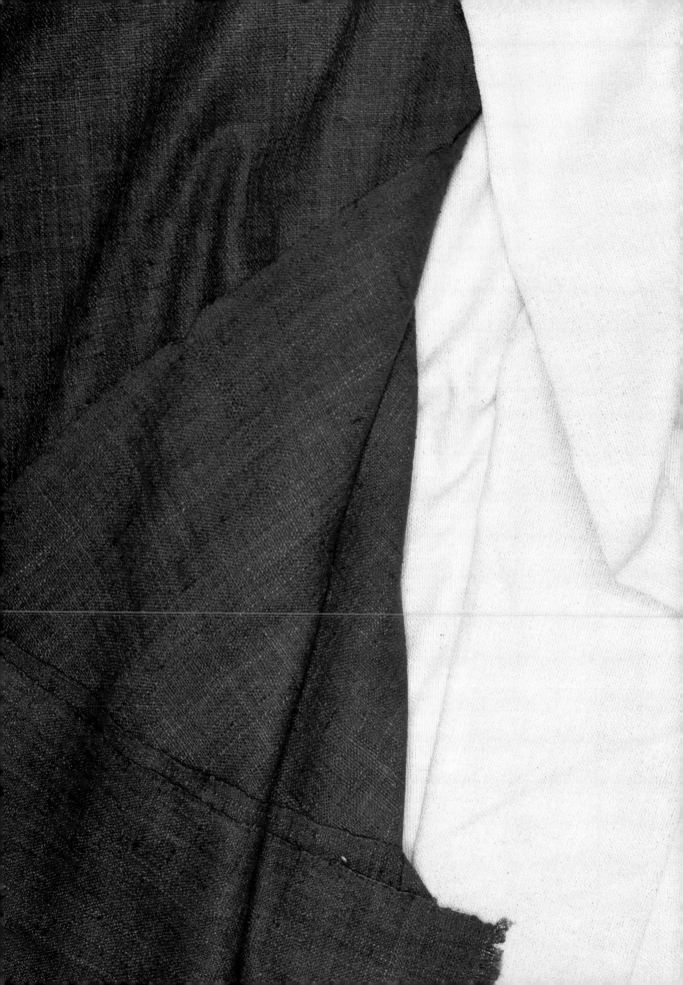

LA SOIE BRILLANTE

Ainsi que je l'ai déjà dit, j'ai préféré ne pas traiter la peinture sur soie dans ce manuel, même si j'ai utilisé de la soie indienne de couleur pour certains projets de tissus d'ameublement. La soie brillante est un type de soie lourde, différente de celle qu'on adopte pour les foulards et les chemises. Il s'agit en effet d'un tissu très actuel, avec lequel on peut confectionner des coussins ou des rideaux. Il permet toujours d'obtenir des résultats particulièrement appréciables grâce à sa trame légèrement rugueuse qui empêche la couleur de baver. Pour peindre sur ce tissu, il n'est pas nécessaire de recourir à la «gutta», une pâte transparente spéciale qui sert d'isolant entre deux couleurs et qu'on emploie lorsqu'on peint sur des soies très légères.

LA GAZE DE COTON

Dans ce manuel, j'ai décidé d'introduire entres autres la gaze car c'est de loin le meilleur tissu avec lequel faire des teintures en lave-linge. C'est un coton à trame légère et transparente.

Rappelez-vous qu'au moment de l'achat, la gaze est toujours apprêtée, mais il suffit de la tremper dans l'eau froide pour qu'elle s'assouplisse immédiatement. Elle ne convient pas à la peinture au pinceau ou au pochoir, mais elle est idéale pour réaliser des panneaux de toutes les teintes possibles, avec la certitude d'obtenir toujours d'excellents résultats.

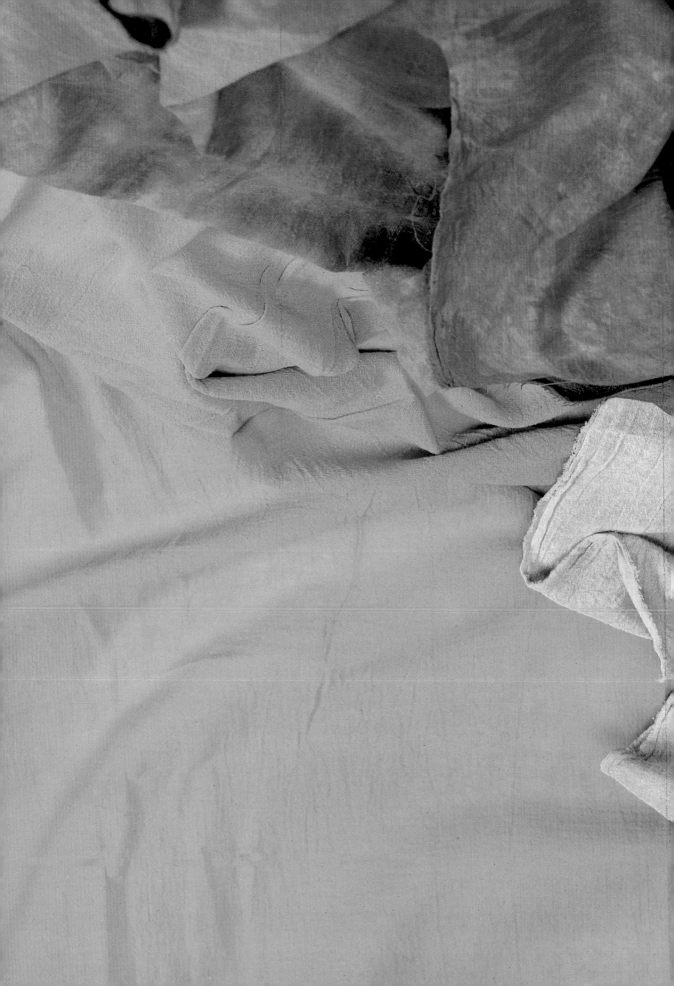

LE COTON

C'est certainement l'un des meilleurs tissus sur lesquels intervenir tant avec la peinture que la teinture. Il existe dans le commerce une quantité vraiment infinie de cotons, dont certaines qualités coûtent même davantage que la soie.

La vaste gamme va des cotons très purs aux trames fines et serrées jusqu'au coton des T-shirts. Excellent de par sa résistance au lavage, même à haute température, s'il est blanc ou clair, les couleurs se maintiennent vives et transparentes. Il se coupe bien aux ciseaux et se repasse sans aucun problème. C'est sans aucun doute le tissu à préférer lorsque l'on aborde cette technique pour la première fois.

LES COULEURS

La gamme des produits destinés à la peinture sur tissu, présents sur le marché, est vraiment vaste. S'il est vrai que le choix peut créer des embarras et provoquer des confusions, il est tout aussi vrai que cela permet à chacun de trouver le produit le plus adapte à sa propre créativité. Tissus et couleurs sont complémentaires et le résultat qu'ensemble ils permettent d'obtenir varie selon leur combinaison: la même couleur donnera un résultat différent sur une couleur claire ou sur une foncée, à trame grosse ou fine, appliquée au pinceau ou à l'éponge. La quasi totalité des couleurs pour tissu peut être diluée dans l'eau, donc est facile à utiliser et généralement non toxique.

COULEURS POUR TISSU

Les couleurs pour tissu que l'on trouve actuellement dans le commerce sont en prévalence des produits à l'eau. Elles s'adaptent bien à tous les tissus (à l'exclusion du nylon) et donnent des résultats plus sûrs si elles sont appliquées sur des tissus préalablement trempés. Ces couleurs sont inodores et non toxiques et peuvent être utilisées au pinceau, ou à l'aérographe, à condition d'être bien diluées.

Une fois le travail bien sec, le décor doit être fixé en repassant l'envers du tissu à la température qui convient au type d'étoffe utilisée. Généralment il y a deux gammes de couleurs : à coloration normale et couvrante.

Appartiennent à la première catégorie les teintes plus transparentes qui doivent toujours être employées sur des tissus blancs. Les couleurs couvrantes sont, au contraire, plus pigmentées et compactes et représentent la solution idéale pour décorer des tissus colorés, foncés et à grosse trame.

Dans ce cas également la couleur doit être fixée au fer à repasser tel que c'est décrit ci-dessus.

Généralement dans la gamme de couleurs on trouve aussi des couleurs métalliques et fluorescentes. Les tissus peints avec ces couleurs doivent toujours être lavés à basse température (30-40°C maximum).

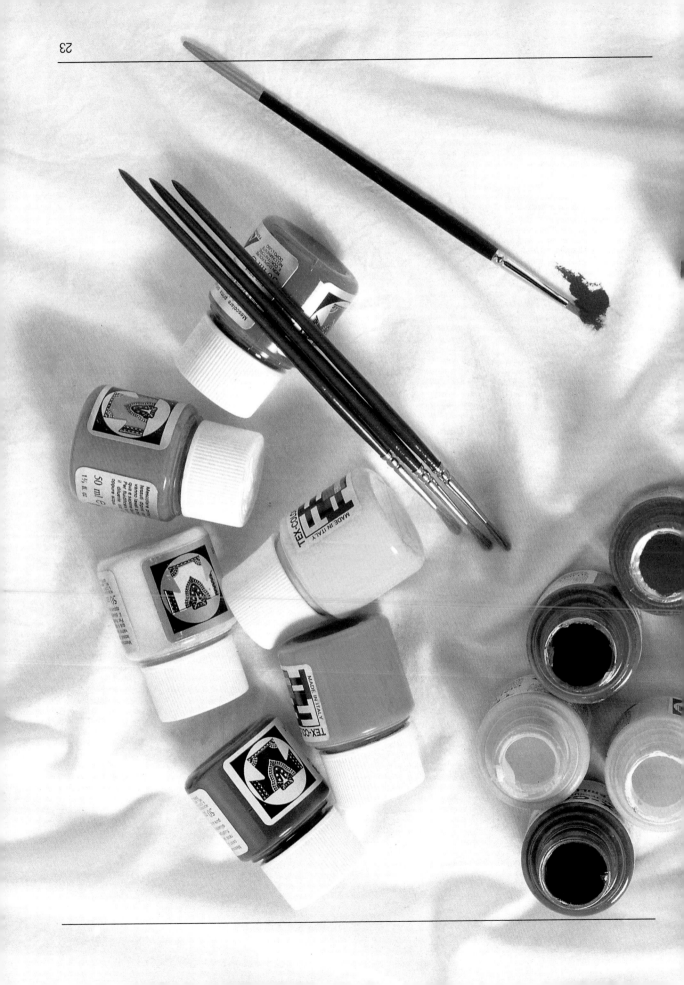

COULEURS POUR TEINDRE EN LAVE-LINGE

En mesure de donner des résultats toujours plus professionnels, ces couleurs permettent d'exécuter des teintures de tissu avec une facilité extrême et des résultats parfaits. Disponibles en pochette avec couleur et fixatif, on les utilise directement en lave-linge avec adjonction de sel; elles conviennent pour teindre en machine à hautes températures coton, viscose, lin, jute et même des tissus à fibres mélangées pourvu que leur contenu en fibres synthétiques ne soit pas supérieur à 20%. Le lave-linge n'est pas taché et les couleurs ne déteignent pas si elles ont été bien fixées.

COULEURS EN POUDRE POUR BATIK

Il s'agit des classiques couleurs en poudre pour le «batik», la célèbre technique thaïlandaise de peinture sur soie avec dessins faits en réserve avec de la cire étalée au moyen d'une «pipette» spéciale. Dans cette section nous n'affronterons pas le véritable batik, mais l'on utilisera les mêmes couleurs pour la teinture avec les nœuds dite «tye & dye». Il s'agit de couleurs en pochette disponibles dans une très vaste gamme de teintes, en mesure de teindre parfaitement coton, fils, lin, chanvre, soie naturelle et artificielle. Elles ont employées dans l'eau bouillante avec sel et fixatif. Les doses et les techniques à employer changent sur la base des méthodes de teinture.

PATES COLOREES POUR TISSU EN TUBE

Ce sont de nouvelles couleurs acryliques. Elles sont vendues en tubes pratiques avec bec distributeur et présentent une considérable puissance d'adhésion aux surfaces, au point qu'on peut les appliquer non seulement sur les tissus mais également sur beaucoup d'autres supports comme verre, métal, bois, terre cuite, cuir, etc.
Dans la vaste gamme de couleurs, on trouve généralement aussi des pâtes riches en paillettes, dorées et argentées.
Il faut repasser le tissu à l'envers également avec ces couleurs, en prenant la précaution de choisir la température la plus adaptée. Dans la gamme des couleurs en pâte il existe un type particulier qui se gonfle une fois qu'il a été étalé sur le tissu, qu'il est complètement sec et repassé à l'envers. Ces couleurs permettent d'obtenir sur le tissu d'agréables effets de décor opaque en relief. Tous les tissus décorés avec ces pâtes colorées en tube doivent être lavés à la main, à l'eau tiède, très délicatement.

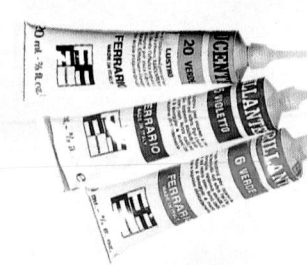

COULEURS A L'HUILE EN PASTEL

Leur composition est très semblable à celle des pastels classiques utilisés en peinture mais celles-ci rendent la décoration au pochoir encore plus facile. Le secret pour obtenir de belles nuances au pochoir est d'utiliser la couleur presque sèche, mais s'il s'agit des acryliques ou des détrempes, il est plutôt difficile de trouver la juste consistance et la qualité de couleur. Le pastel à l'huile est prêt à l'usage et permet d'obtenir d'excellents résultats surtout sur le tissu. Au contraire des autres couleurs, on ne repasse pas à l'envers, mais on doit attendre au moins une semaine pour que la couleur soit parfaitement sèche et puisse être lavée. La composition est la même que celle des couleurs à l'huile pour artistes : pigment, huile de lin et cires naturelles comme liant.

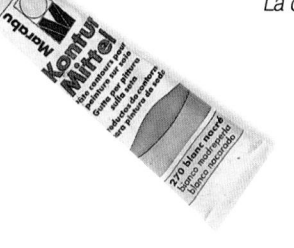

COULEURS POUR LA SOIE AU PINCEAU

Ce sont des couleurs très liquides, brillantes et transparentes. Elles s'adaptent à tous les types de soies lisse fine et moyennement fine.

Pour délimiter les contours du dessin sur soie, on utilise la «gutta», liquide légèrement pâteux et transparent, qui disparaît au premier lavage.
La couleur sur soie

s'étale au pinceau à l'intérieur du dessin délimité par la gutta. On pose le pinceau imbibé de couleur au centre de la surface entourée par la gutta et on laisse ensuite la couleur s'écouler.

FEUTRES POUR TISSU

Ils sont semblables à ceux que nous connaissions tous mais ils ont à l'intérieur de la couleur très liquide pour tissu. Ils existent avec différents types de pointes et généralement dans une gamme de couleurs limitée (18 teintes

maximum). Ils sont très faciles à employer (comme un feutre courant) et on les utilise habituellement sur T-shirts, jeans, sacs à dos en tissu, etc. Ils ont tendance à se décolorer au lavage, même à basse température.

COULEURS POUR LE «MARBLING»

Les magnifiques effets «en queue de paon» ou marmorisés des papiers pour le cartonnage peuvent s'obtenir également sur tissu. Introduits récemment sur le marché par un groupe limité d'entreprises, les couleurs à même de réaliser cette technique sont vendues en général avec un kit tout prêt, composé des couleurs de base, de la poudre épaississante et d'une coupelle. La méthode est la même que pour le papier marmorisé, mais au lieu du papier on trempe le tissu ou directement l'objet en tissu. En voici brièvement la méthode: on verse dans une grande coupe basse de l'eau froide à laquelle on mélange quelques cuillers de poudre épaississante. Au bout de quelques heures la poudre devient une sorte de gélatine complètement transparente (genre colle pour papier peint). C'est alors qu'on distribue en surface de la couleur pour tissu plutôt liquide, éventuellement à l'aide d'un compte-gouttes. Avec un bâtonnet ou un peigne on crée des motifs en surface, après quoi on y pose l'étoffe. La couleur en surface «s'imprime» ainsi sur le tissu qui est ensuite rincé et mis à sécher.

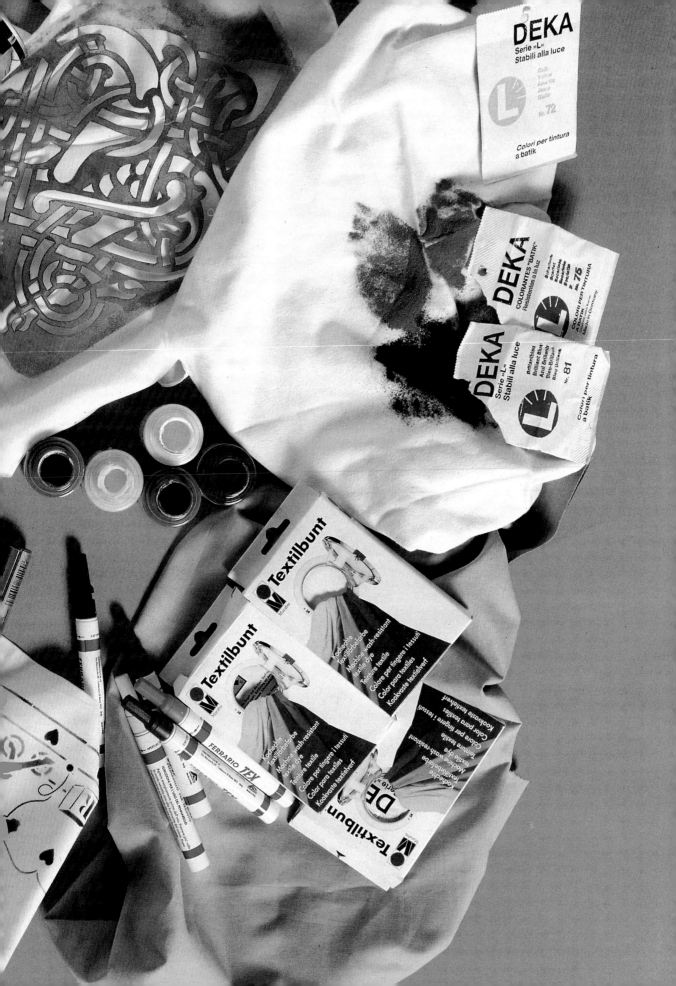

LES TECHNIQUES

TEINTURE EN LAVE-LINGE

Il s'agit d'une méthode très simple qui, avec les couleurs que l'on trouve actuellement dans le commerce, toutes de première qualité, permet d'excellents résultats.

Les premières fois, il est bon de suivre les instructions reportées sur le produit. Quand on aura acquis une certaine familiarité avec la méthode, on pourra créer ses propres teintes en ajoutant aussi des pochettes de couleurs pour batik ou en augmentant la charge de tissu pour obtenir des marbrures.

EXECUTION

- Mettre directement dans le tambour du lave-linge une pochette de couleur et une pochette ou deux de fixatif (selon le type), ainsi qu'un kg de sel fin.
- Mettre à tremper le tissu dans l'eau froide pendant une dizaine de minutes, puis essorer et mettre dans le lave-linge.
- Programmer un lavage pour coton à 60° C et actionner la machine. A la fin du lavage l'étoffe sera teinte uniformément et le lave-linge parfaitement propre.

DOSES

Avec une pochette de couleur de 30 grammes on teint très intensément environ une livre de tissu. Naturellement, si l'on double le poids de l'étoffe, l'intensité de la coloration diminue. Il est clair que le résultat optimum pour les couleurs s'obtient sur tissu blanc, alors que le tissu coloré ou taché ne réussit bien que s'il est teint en noir et il arrive qu'il faille répéter plusieurs fois l'opération. Qu'est-ce qu'on teint en lave-linge? Evidemment des pièces d'habillement, mais l'idée que je vous propose est celle des rideaux. Avec quelques mètres de toile de gaze indienne, on peut avoir de magnifiques rideaux de la couleur préférée, éventuellement en se hasardant à alterner les teintes pour les deux panneaux des fenêtres. Encore une autre idée d'ameublement: les couvre-divans, en étaler éventuellement deux ou trois dans des tons dégradés.

TEINTURE AVEC LES NŒUDS OU «TIE & DYE»

Cette technique rappelle celle utilisée pour les T-shirts multicolores portés sur les jeans à «pattes d'éléphant» du début des années 70. Une fois appris cet art, on peut l'appliquer pour raviver la maison avec des coussins multicolores ou des couvertures patchwork, ou pour réinventer une chemisette un peu trop simple en lui donnant une touche de nouveauté.

POUR LES ESSAIS PRELIMINAIRES

- Tissu en coton - cordon d'emballage courant - vieilles casseroles plutôt grandes - pochettes de couleur pour tissu batik rouge et bleu - sel fin de cuisine.
- Pour les doses, suivre les indications données sur le produit.

AVANT DE COMMENCER

La teinture avec les nœuds ne salit pas excessivement, on peut donc tranquillement l'exécuter à la cuisine. De toute façon, pour éviter les problèmes éventuels, il vaut mieux étaler des journaux ou des bâches en plastique là où l'on travaille.

Le petit sac à dos est obtenu par un bain rouge feu. La partie centrale a été tout d'abord réservée puis teinte, uniquement la pointe, dans un bain d'un bleu intense.

Pliez un petit carré de coton blanc d'abord en deux ensuite en quatre.

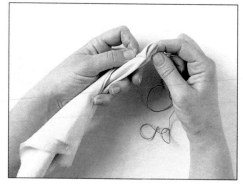

Pliez de nouveau le tissu de manière à former un angle aigu.
Prenez une fine corde pour paquets et, en commençant par la pointe, commencez à l'enrouler autour du tissu.

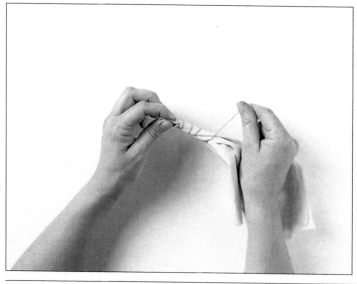

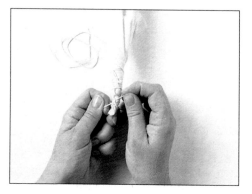

Continuez à enrouler la corde autour du tissu en laissant toujours de l'espace entre un tour et l'autre. Croisez de nouveau la corde et retournez jusqu'à la pointe, où vous la nouerez.

Portez à ébullition 2 ou 3 litres d'eau et ajoutez-y une cuiller pleine de sel fin (ou rase de gros sel). Faites fondre dans l'eau encore bouillante le contenu d'une pochette (commencez toujours avec la couleur la plus claire). Trempez le tissu et laissez-le au moins 5 minutes dans l'eau ; plongez la pointe avant tout.

Dans une autre marmite portez à ébullition 2 ou 3 litres d'eau, ajoutez-y une cuiller de sel et la pochette de couleur bleue. Trempez le tissu de coton du côté opposé à celui déjà teint en rouge. Laissez tremper pendant 4 ou 5 minutes, ou moins selon l'intensité de couleur que vous voulez donner au tissu.

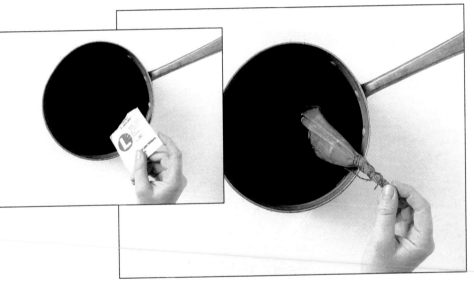

Enlevez le tissu et laissez-le refroidir ; commencez à défaire la corde, en veillant à ne pas vous tacher. Elargissez bien l'étoffe pour qu'elle sèche étalée.

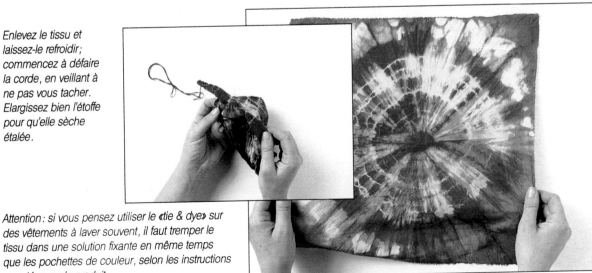

Attention : si vous pensez utiliser le «tie & dye» sur des vêtements à laver souvent, il faut tremper le tissu dans une solution fixante en même temps que les pochettes de couleur, selon les instructions reportées sur le produit.

DIFFERENTS TYPES DE NŒUDS ET TECHNIQUES DE «RESERVE»

Il existe divers petits trucs pour obtenir les effets «tie & dye» et l'on peut en inventer beaucoup d'autres. Les matériaux avec lesquels se passer une envie sont infinis, et les combinaisons que l'on peut créer, innombrables.

Les instruments les plus courants pour «réserver», c'est-à-dire pour protéger de la teinture une partie du tissu, sont très nombreux. Je vous en dresse une liste ici, mais je vous présente également une série d'exemples-expérimentations dont vous inspirer.

Il est clair que rien ne vaut les «expérimentations». Il est peut-être ennuyeux de faire des essais, surtout avec une technique plutôt salissante comme celle-ci, mais cela en vaut vraiment la peine car parfois on obtient par pur hasard les résultats les plus inattendus. De toute façon les instruments les plus courants pour exécuter le «tie & dye» sont: la corde grosse, petite et moyenne; le fil à coudre, les élastiques, le papier collant en papier; le fil de laine de différentes dimensions; chaînettes, pinces à linge; épingles; agrafes métalliques fixées avec une agrafeuse de bureau; clips pour boucles d'oreilles.

C'est le type de ligature le plus simple. L'étoffe est enserrée en entonnoir sans avoir été auparavant liée et pliée, ensuite on l'entoure de coton pour travaux au crochet. La tache que l'on obtient est toujours plutôt ample et irrégulière. Avec cette méthode la partie protégée de la couleur est plus grande que celle qui est teinte. Très valable pour la décoration de T-shirts et de tissus souples, qu'on peut lier facilement.

Les «demi-soleils». Cet effet particulier s'obtient en nouant avec du cordonnet pour crochet ou du cordonnet d'emballage l'étoffe à hauteur des bords. On peut décorer selon cette méthode nappes, sets américains, housses de coussins et, bien sûr, tissus d'habillement. Si l'on arrive à nouer régulièrement, on obtient des dessins symétriques. On peut aussi travailler deux ou plusieurs couleurs à la fois, pour créer des effets spéculaires.

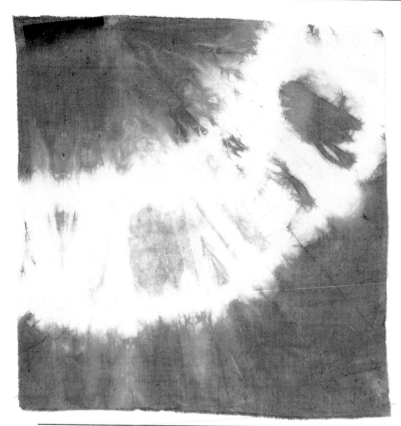

Jusqu'à maintenant nous avons vu des nouages qui réservent toujours la pointe du tissu (la laissent donc blanche). Mais si le nouage (fait dans ce cas avec du cordonnet d'emballage) part au contraire du centre, la pointe sera colorée et il se créera une sorte de grande corolle. Si il est divisé en plusieurs petits bouts, le nouage peut être un motif facile pour réaliser des couvertures en patchwork, en alternant les carrés de manière à former un mouvement en «grosses virgules».

Une des caractéristiques de la peinture «tie & dye» consiste dans la possibilité de travailler avec diverses couleurs. Ce n'est pas difficile, mais les temps s'allongent beaucoup et l'espace de travail doit être suffisamment vaste. La règle principale est de faire d'abord la teinture avec les couleurs les plus claires et au fur et à mesure avec les plus foncées. Dans notre cas, on n'a laissé en blanc que la pointe qui, une fois dénouée, a été trempée dans un bain de rouge.

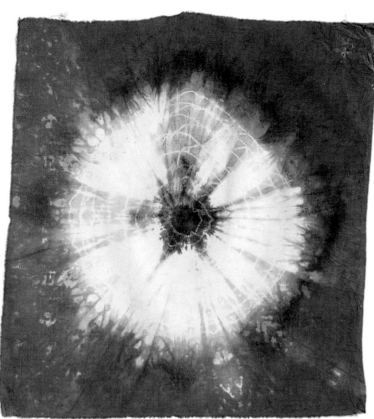

Ici nous avons employé les trois couleurs primaires, bleu, rouge et jaune, pour créer un jeu de quatre teintes avec le blanc du fond. Il s'agit du nouage le plus simple, obtenu avec la corde pour paquets postaux. La ligature en entonnoir est très serrée et plutôt longue. On a fait tout d'abord un bain de bleu dans la partie finale. Ensuite un bain de jaune en ne trempant que la partie nouée. Dans la partie où se rencontrent le jaune et le bleu, il se forme une auréole verte. On a ensuite délié la pointe qu'on a trempé dans le rouge.

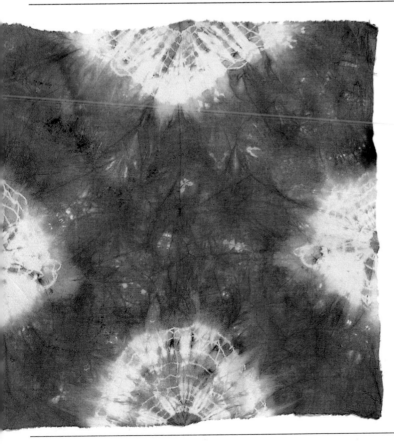

Toujours avec le système décrit ci-dessus, et en utilisant les mêmes couleurs, on a exécuté quatre demi-corolles. Une suggestion : si l'on veut obtenir du vert au lieu du bleu, il suffit de tout tremper dans le jaune. Si l'on teint avec le rouge et le bleu ensemble, on aura du violet, avec le jaune et le bleu on crée le vert, et avec le jaune et le rouge l'orange.

Quand l'on achète une écharpe de soie indienne, l'on voit souvent des décors en cercles irréguliers. Comment sont-ils faits? Simplement en liant de petites «touffes» de tissu avec un tout petit élastique en caoutchouc: pour être plus clair la dimension la plus petite des élastiques de bureau. Si l'on arrive à calibrer les intervalles on obtiendra un beau dessin symétrique. Dans ce but, il faut tout d'abord faire de petits points de référence au crayon, puis nouer.

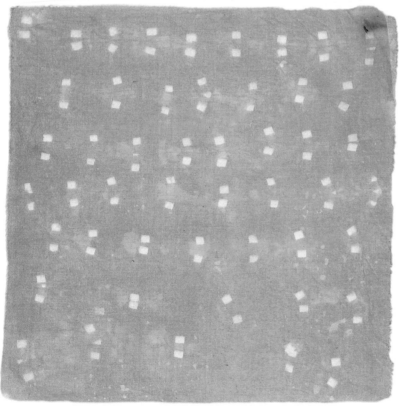

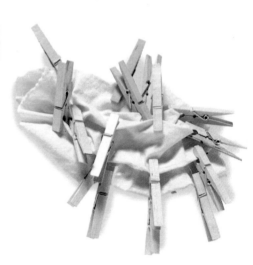

Une autre manière d'obtenir un effet répétitif consiste à utiliser les pinces à linge qui doivent impérativement être en bois (car le bois absorbe la couleur). Là aussi, il vaut mieux, avant de commencer, choisir des points de référence où attacher les pinces à linge. Une variante originale pourrait être de travailler aussi bien avec les élastiques que les pinces à linge pour créer des dessins répétitifs de différente forme.

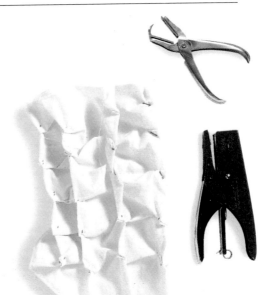

Il s'agit d'un travail assez simple. Toujours en essayant de suivre un dessin régulier, on pince de petites touffes de tissu à l'agrafeuse. Une fois le tissu teint, on enlève les agrafes avec l'ustensile spécifique. Quand les parties réservées sont aussi petites il vaut toujours mieux trouver un dessin régulier.

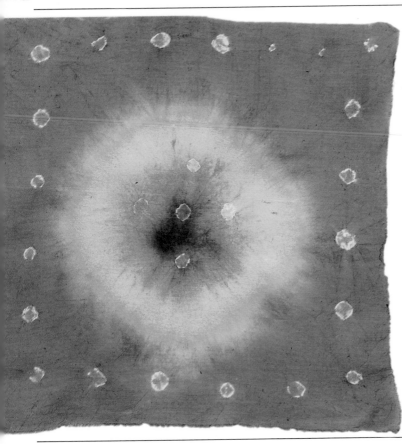

Cette variante est obtenue en suivant deux techniques et en utilisant trois couleurs, c'est l'exemple de comment faire l'amalgame de toutes ces suggestions pour créer des effets particuliers. Ici, on a d'abord réalisé un encadrement de pointes unies à l'agrafeuse, puis on a effectué au centre une ligature traditionnelle (très serrée). Pour les couleurs sur la pointe, d'abord un bain de jaune, puis sur l'extrémité finale un bain de rouge et pour la base un bain de bleu, sans jamais mélanger les deux tons rapprochés.

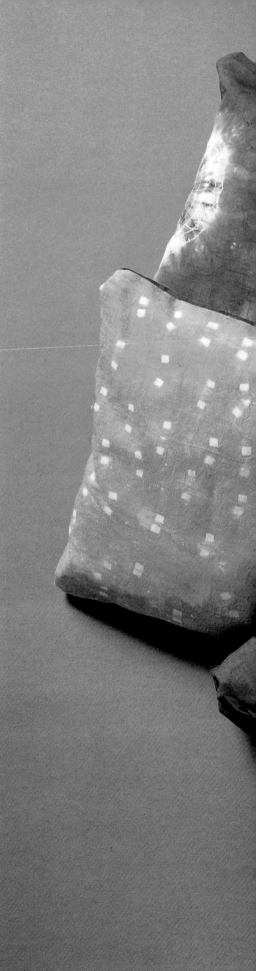

Ces essais de couleurs ont été cousus pour former
une série de coussins gais et très colorés. Si l'on
veut, on peut les finir avec de la passementerie.

Voici un exemple de la manière dont on peut exploiter les essais de «tie & dye». Couleurs utilisées: le bleu et le turquoise clair. On a crée plusieurs petits «mouchoirs» carrés, cousus entre eux et puis bordés de coton bleu. On peut utiliser cette réalisation de différentes manières: du couvre-lit d'été au panneau décoratif, jusqu'à un lourd rideau de grande dimension.

On a fixé
irrégulièrement des
pinces à linge sur des
socquettes blanches.
Elles ont ensuite été
teintes dans un bain
de couleur rouge.

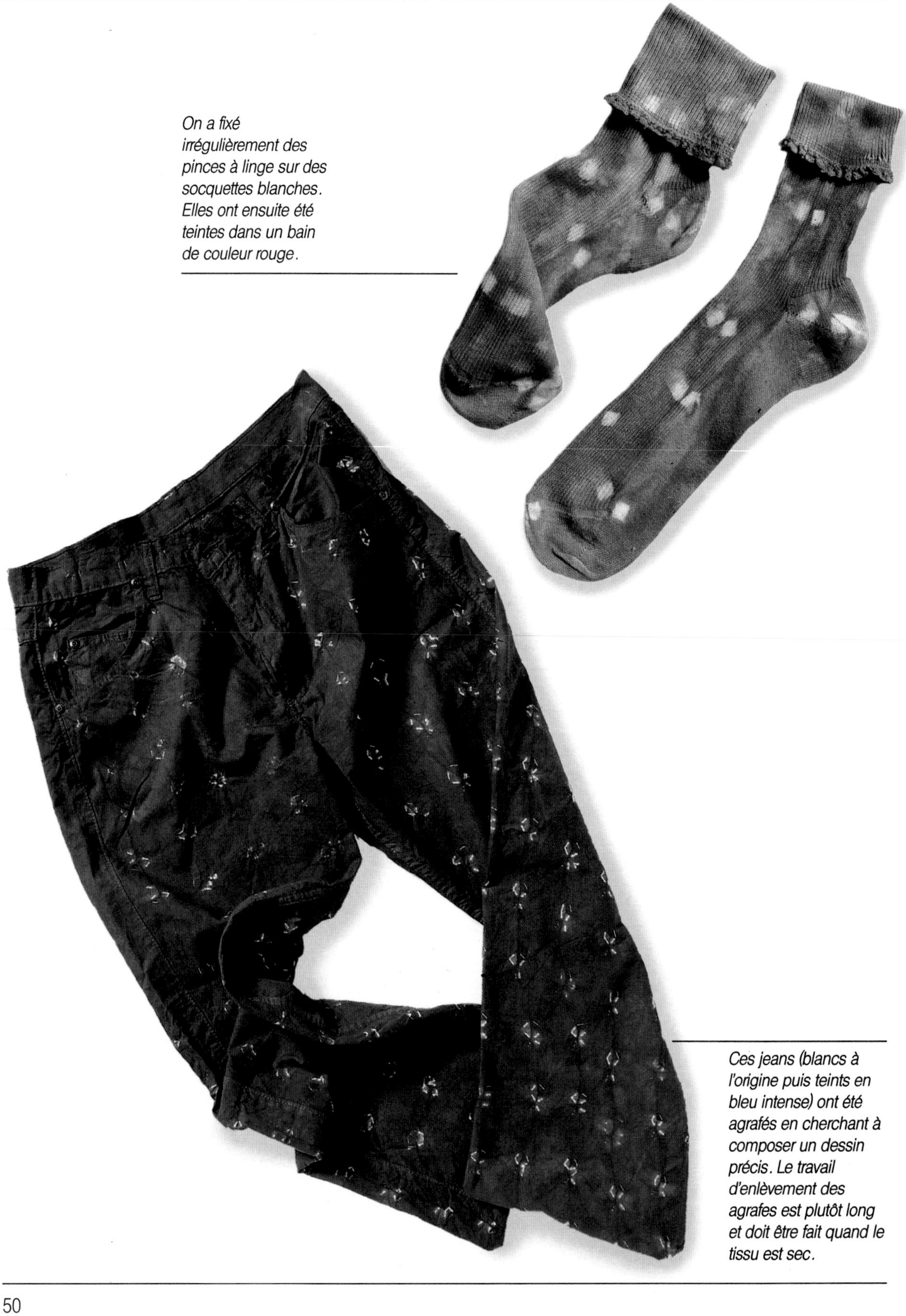

Ces jeans (blancs à
l'origine puis teints en
bleu intense) ont été
agrafés en cherchant à
composer un dessin
précis. Le travail
d'enlèvement des
agrafes est plutôt long
et doit être fait quand le
tissu est sec.

Chemise d'homme en coton, taille extra-large. Elle a d'abord été teinte en entier dans un bain de jaune, puis les manches ont été nouées et le fond lié. Le second bain est de couleur rouge. Avec le fond jaune, la teinte dominante devient l'orange.

Une goutte d'eau de Javel est tombée sur cette petite jupe en pur coton. Voilà comment réinventer le vêtement avec le «tie & dye»: le mettre dans l'eau additionnée d'eau de Javel pour qu'il se décolore. Faire sécher puis pratiquer le nouage à volonté avec une corde fine et mettre dans un bain d'un vert intense.

Si l'on ne veut pas courir le risque de sembler trop ethnique, le «tie & dye» peut être seulement ébauché. Les petits points qui ressortent sur ces chaussettes sont obtenus grâce à l'agrafeuse. Le bain de couleur est exécuté avec du rouge carmin.

Voici une paire de jeans blancs dont la marque sur les poches est obtenue grâce à un petit élastique lié deux fois. On colore intensément la toile en gardant les pantalons plus longtemps plongés dans la couleur.
L'eau doit rester bouillante pendant tout le temps et la marmite doit être suffisamment grande pour permettre de retourner le tissu.

On a fixé irrégulièrement des pinces à linge sur une chemise blanche à manches longues. Bain à une seule couleur: un rouge cerise pas trop fort de manière à créer un effet légèrement «moiré».

Sac rectangulaire en coton avec poches appliquées. Les décors sont obtenus grâce à une fine corde nouée très serrée.

Les foulards en soie, satin ou coton froissés sont très en vogue. Celui-ci est en satin écru lié avec de petits élastiques. La teinture est un vert clair mêlé à une pointe de jaune. Souvenez-vous qu'une fois la technique apprise, on peut faire des mélanges de poudres colorées et obtenir des tonalités insolites.

Une idée bizarre : des chaussettes en coton blanc avec trois petits cercles obtenus par deux «tours» de ficelle légère. Le bain de couleur est d'un vert intense de manière à faire ressortir les anneaux blancs.

Chemisette en coton blanc à manches courtes sur laquelle on a mis au point un dessin obtenu en liant des bouts de tissu avec de petits élastiques de bureau.
Avant d'opérer sur un vêtement, faites plusieurs essais sur des chutes de tissu.

PEINTURE AU POCHOIR

Il s'agit de la technique de décoration la plus facile et la plus répandue, et c'est dans l'absolu une des meilleures méthodes de peinture des tissus, car elle permet à n'importe qui de s'y risquer tout en ne sachant pas dessiner.

Vous trouverez par la suite toutes les informations utiles à la préparation des caches et à l'étalement des couleurs, qui est simple, mais doit respecter certaines règles assez strictes.

COMMENT CONSTRUIRE UN CACHE AVEC DE LA CARTE DE LYON

MATERIEL NECESSAIRE
- *Livres de Dessins au pochoir (Collection des éditions Dover).*
C'est une collection de livres d'art graphique généralement monographiques qui reportent les images de milliers de sujets tout prêts à être décalqués pour réaliser le pochoir. On les trouve dans les librairies, chez les bons marchands de couleurs et dans les magasins spécialisés dans les beaux-arts. Les dessins peuvent être photocopiés, agrandis ou réduits à volonté, reproduits intégralement ou partiellement.
- *Carte de Lyon.*
C'est un cartonnet épais et élastique marron clair, rendu imperméable par un bain d'huile de lin, dont il garde l'odeur. Il se coupe bien au cutter, mais il a le défaut de ne pas être transparent comme les acétates.
- *Cutter aiguisé.*

Pour bien couper un cache, il n'est pas nécessaire d'utiliser des cutter ou des cisailles professionnels : il suffit un cutter courant, avec une lame à taquets. Détachez très souvent le bout de lame consumé de manière à ce que la lame soit toujours affilée.
- *Un rectangle de verre pas très grand.*
Le verre est la superficie qui convient le mieux à la coupe parce qu'il ne se grave pas. Il faut utiliser un verre de petites dimensions pour le mouvoir facilement pendant qu'on découpe le cache. Il suffit d'acheter un de ces encadrements «à jour» pour photographies qu'on trouve dans toutes les dimensions dans les grands magasins. Bordez toujours le verre avec du ruban adhésif en papier pour ne pas vous couper.
- *Une feuille de papier millimétré ou du papier-calque.*
- *Ruban adhésif en papier.*
- *Un crayon plutôt souple B ou 1B.*

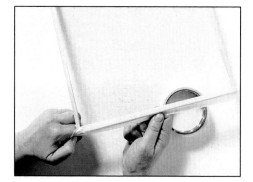

Décalquez le sujet choisi sur le papier. Placez le dessin sur la carte de Lyon à l'envers, ensuite repassez le dessin au-derrière en appuyant fort sur le crayon.

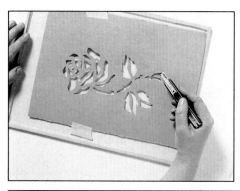

Bordez le verre avec le ruban adhésif en papier. Placez la carte de Lyon sur le verre, fixez-le avec un bout de ruban adhésif.

Découpez en tournant le plan de verre ; ne déplacez pas le cutter, ou bien avec un mouvement coordonné entre la main qui tient le cutter et celle qui tient le verre. Détachez le cache et enlevez les irrégularités éventuelles de la coupe avec le cutter.

COMMENT CONSTRUIRE UN CACHE AVEC DU POLYESTER

MATERIEL NECESSAIRE
- Livres des éditions Dover pour le dessin.
- Polyester.
Il s'agit d'un acétate très élastique, semi-transparent, sur lequel on écrit avec n'importe quelle sorte de crayon ou de stylo. Il est parfaitement imperméable, pratiquement indestructible et il se coupe assez bien.
Il faut prêter attention quand on l'achète car il est très semblable au papier des ingénieurs (qui, lui, n'est pas imperméable et en outre se déchire assez facilement).

- Colle en vaporisateur repositionnable.
C'est une colle qui n'a qu'une action temporaire et ne tache pas, elle convient aussi bien pour la peinture que pour fixer la feuille quand on découpe.
- Crayon.
- Cutter.
- Alcool.
- Chiffon en coton.
- Verre de dimensions à peine supérieures au cache.
- Ruban adhésif en papier.

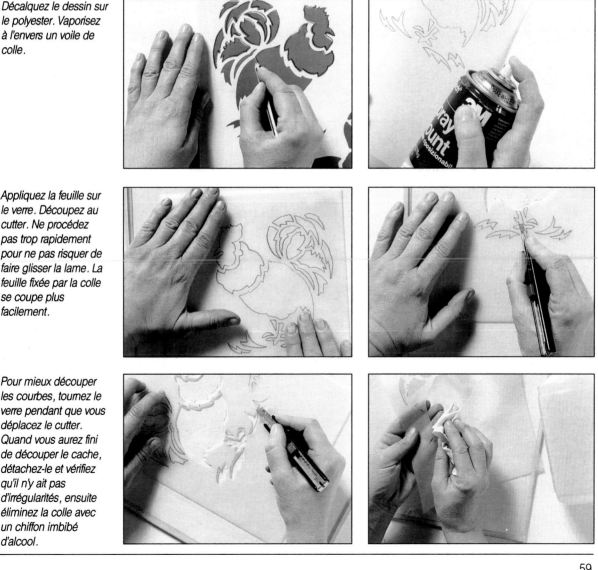

Décalquez le dessin sur le polyester. Vaporisez à l'envers un voile de colle.

Appliquez la feuille sur le verre. Découpez au cutter. Ne procédez pas trop rapidement pour ne pas risquer de faire glisser la lame. La feuille fixée par la colle se coupe plus facilement.

Pour mieux découper les courbes, tournez le verre pendant que vous déplacez le cutter. Quand vous aurez fini de découper le cache, détachez-le et vérifiez qu'il n'y ait pas d'irrégularités, ensuite éliminez la colle avec un chiffon imbibé d'alcool.

PEINDRE DU TISSU AVEC LES PINCEAUX A POCHOIR

Les pinceaux à pochoir sont différents des autres pinceaux à peinture. Habituellement peu coûteux, ils sont synthétiques, en poils de porc ou ronds et à pointe plate. Il faut les utiliser en effectuant un mouvement rotatif et, en alternative, comme des «poinçonneurs» (c'est-à-dire qu'on piquette en tenant le pinceau perpendiculairement au tissu).

Avant de commencer, le tissu doit toujours avoir été lavé à la température maximum consentie pour éliminer l'apprêt, qui autrement peut constituer une sorte de barrière à la couleur.

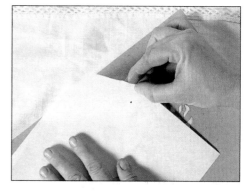

Vaporisez le cache avec un voile de colle en vaporisateur repositionnable. La colle ne salit pas le tissu, mais n'exagérez pas car elle peut provoquer des auréoles. Mettez sous l'étoffe une page de journal, une feuille de papier recyclé ou du papier d'emballage.

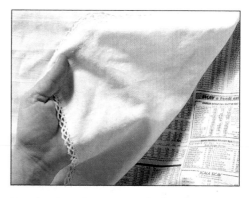

Placez soigneusement le cache sur le tissu. Souvenez-vous de poser toujours une feuille de papier blanc sur le cache avant de le comprimer à la main pour le coller au tissu. Les mains ne doivent pas être directement en contact avec le cache pour le comprimer ou le déplacer.

Bordez tout le contour du cache avec du papier journal fixé par du ruban adhésif en papier, puis préparez les couleurs pour tissu sur des soucoupes, en gardant une feuille blanche à portée de la main. Trempez le pinceau à pochoir dans la couleur et éliminez-en l'excès sur du papier absorbant. Tout le secret du pochoir est là: le pinceau doit être presque sec. Ne craignez pas que la couleur ne se voit pas, éventuellement repassez deux fois. L'essentiel est que la couleur ne soit pas trop liquide pour éviter qu'elle colle, pénètre au-delà des bords du cache et traverse la trame du tissu.

Commencez à peindre en partant toujours de l'extérieur du cache pour procéder vers l'intérieur, par mouvements circulaires, en tenant le pinceau perpendiculaire à la surface.

Etalez uniformément une base de couleur et estompez légèrement avec le pinceau presque sec.
Procédez de la même façon avec les autres couleurs.

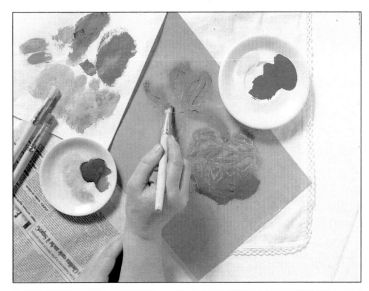

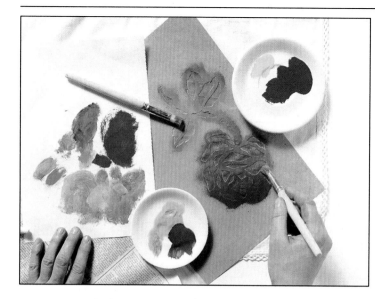

Pour rendre les teintes plus lumineuses, repassez encore une fois les couleurs sur toute la surface en prêtant particulièrement attention aux estompages.

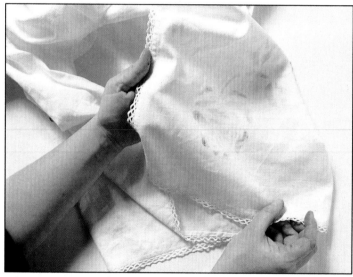

Retournez votre travail et vérifiez que la couleur n'ait pas transpercé le tissu en créant des taches inesthétiques.
Laissez parfaitement sécher.

Au bout de 12 heures environ, repassez l'étoffe à l'envers avec un fer plutôt chaud : les couleurs sont ainsi fixées définitivement.

AVEC L'EPONGE ET LE CACHE EN POLYESTER

Vaporisez la colle repositionnable sur l'envers du cache et faites-le bien adhérer au tissu. Mettez dans une soucoupe quelques gouttes de couleur pour tissu de deux tons différents (dans notre cas, noir et vert bouteille). Imbibez l'éponge naturelle et éliminez l'excès de couleur sur une feuille de papier.

Commencez à piqueter sur le cache avec l'éponge, en veillant à ne pas vous attarder pour ne pas trop faire pénétrer la couleur. Repassez plusieurs fois en laissant passer quelques minutes entre les deux opérations.

Voilà comment se présente à la fin le petit coq «à l'éponge». Dans ce cas également, au bout de douze heures, repassez le tissu à l'envers avec le fer chaud pour fixer la couleur.

AVEC LES CRAYONS A L'HUILE POUR POCHOIR

Vaporisez l'envers d'un cache avec la colle repositionnable. Placez le cache sur le tissu, posez au-dessus une feuille de papier blanc, et comprimez fortement. Protégez toute la partie autour du cache avec du papier journal fixé par du ruban adhésif en papier.

Ecrasez sur une feuille de papier le crayon à l'huile en cassant la partie rigide de cire qui le recouvre. Recueillez la couleur au pinceau, éliminez l'excès et vérifiez que la couleur soit bien répartie entre les poils du pinceau.

Commencez à peindre d'un mouvement circulaire en partant toujours de l'extérieur du cache. Si vous voulez un effet plein et couvrant, repassez deux ou trois fois. On peut obtenir très facilement d'incroyables nuances avec les crayons à l'huile, il suffit de moduler la pression du pinceau sur le tissu. Plus la main exerce de pression, plus la couleur sera foncée, alors que si la main appuie à peine, on crée une nuance. Avant de peindre directement sur le tissu, faites de nombreux essais sur le papier.

Voici le résultat final de l'ouvrage. Souvenez-vous que, contrairement aux autres, ces couleurs ne doivent pas être repassées au fer chaud, et il faudra attendre au moins une semaine avant de les laver; puisque, tout en étant des couleurs à l'huile, elles ont des temps de séchage plus longs. Les couleurs à l'huile en crayon sont indélébiles et restent brillantes même après de nombreux lavages à haute température. Pour être sûr d'avoir un bon résultat, il vaut toujours mieux faire une coloration plus intense vu le risque d'une légère décoloration au premier lavage (comme d'ailleurs pour presque tous les tissus imprimés).

DECORS INDIENS ET MAGHREBINS

Les grosses soies brillantes sont à l'ordre du jour surtout pour les tissus d'ameublement, en particulier pour recouvrir des coussins ou pour faire des rideaux. Les couleurs les plus adaptées sont les couleurs brillantes métallisées ou perlées, qu'on trouve généralement dans une vaste gamme de tonalités.

Tirée du dessin d'un carreau marocain, cette étoile est idéale pour décorer facilement un tissu plein, parfait pour un grand coussin ou une nappe. Mêlée à la couleur or, la soie sauvage brillante crée des variations de tons très agréables. Le cache est une étoile répétée plusieurs fois sur le tissu, après avoir calculé exactement les points où la placer et les avoir marqués au crayon.

Voici une soie indienne lourde et brillante, couleur jaune or. Il est plutôt simple de peindre sur ce tissu, car la trame est très serrée et plutôt rugueuse et la couleur s'étale bien sans risquer de tacher l'envers. Le décor, comme les autres à la suite, est tiré du dessin photocopié d'un carreau indien, considérablement simplifié et reproduit sur un cache plutôt grand (30 x 40 cm); cela permet de peindre une très vaste surface. La couleur utilisée est la terre cuite métallisée alternée à un blanc perlé, les deux sont des produits liquides présentés en pots.

Le décor appliqué sur la soie jaune est répété sur de la soie bleu nuit. Couleur: cuivre métallisé. On a ajouté au décor de base des étoiles orientales à huit pointes. Quand on crée le dessin d'un cache à reporter sur carte de Lyon ou polyester, il convient d'utiliser du papier millimétré pour placer les décors de manière absolument précise et pouvoir les répéter facilement.

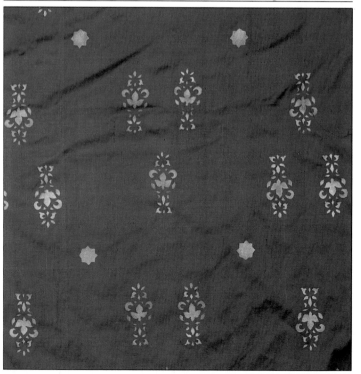

Effet décidément «oriental» du fond rouge laque idéal pour faire ressortir la couleur or. Les teintes métallisées et perlées vont bien sur des tissus particuliers comme la soie sauvage de notre exemple. Ces tissus sont très beaux mélangés entre eux avec des décors et des teintes différentes. Mais veillez à ne pas exagérer, pour ne pas courir le risque d'alourdir l'effet.

Elégant rapprochement de couleurs constitué par cette soie sauvage couleur sauge avec le décor bronze métallisé. Les deux étoiles du dessin sont réalisées en décalquant un décor traditionnel ethnique. La collection de livres Dover, en dehors de la publication de motifs de pochoir tout prêts, a également des volumes sur les dessins traditionnels de carreaux du monde entier, dont on peut tirer un nombre d'idées incroyable.

Voici une proposition qui requiert de l'habileté: il est en effet très difficile de faire le cache, de le découper, le placer et le peindre uniformément. Pour obtenir ce motif de mosaïque arabe classique, on a photocopié le détail d'un dessin publié sur un livre Dover, agrandi par la suite jusqu'à créer une bande de 50 cm de long. Pour découper, il est utile d'employer une équerre de métal. La couleur (jaune d'œuf couvrant) a été étalée non pas au pinceau mais avec un rouleau d'éponge (employé par les peintres en bâtiment). Ceux qui suivent cette méthode doivent faire très attention à l'excès de couleur: il vaut toujours mieux repasser deux fois plutôt que de tacher l'étoffe.

Détail d'une nappe de soie couleur tabac avec décor à étoile arabe teinte or.
Ce dessin, tout comme le précédent, a été peint avec un petit rouleau (15 cm de large) en caoutchouc-mousse. La difficulté réside dans les étoiles qui doivent être répétées selon une séquence logique.
Evidemment, il est très utile de construire un cache qui prévoit déjà le motif répétitif.

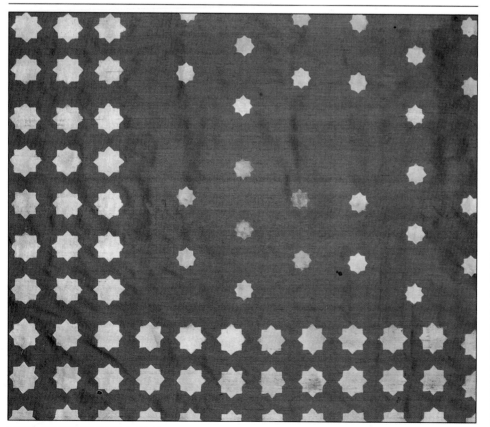

STYLE NEO-MOYENAGEUX

Velours, soies sauvages, chanvre, lourds cotons décorés d'étoiles, de lys, d'armoiries. Des motifs simples, à répéter sur toute la surface pour des décors qui réinventent un style somptueux, à l'élégance immédiate.

Le classique motif à étoile sur un coton à tapisser bleu nuit. En matière d'ameublement, le motif à étoile est employé dans de multiples versions aussi bien pour les murs que pour les objets. Avec le tissu ainsi décoré, vous pourrez recouvrir fauteuils, divans ou chaises. Le cache des étoiles a été réalisé en grande dimension (40 x 50 cm), de manière à pouvoir décorer plusieurs mètres de tissu sans devoir le repositionner continuellement. La couleur des étoiles est un blanc glacier métallisé classique.

Voici une soie grise brillante imprimée de petits lys rouge foncé. Le cache, plutôt grand (30 x 40 cm), est en polyester. Le motif a d'abord été dessiné sur papier millimétré transparent qui permet de calculer les distances exactes et de reporter le motif du lys tourné vers le haut ou vers le bas. Ce tissu convient parfaitement pour des rideaux ou des doubles rideaux.

La soie sauvage est un tissu très poreux, semblable au jute ou au chanvre lourd. Mais contrairement à ces derniers, elle est très souple et peut être décorée avec d'excellents résultats. Elle est parfaitement adaptée à créer des tissus d'ameublement personnalisés. Notre exemple, couleur mauve, est décoré avec des trèfles à quatre feuilles et des étoiles typiquement médiévales. Comme pour les autres motifs, le cache a d'abord été dessiné sur papier millimétré pour calculer parfaitement les distances des dessins, de manière à faciliter la répétetivité du décor.

Le velours est un tissu difficile à décorer. Il n'a pas été présenté au début du manuel parmi les tissus conseillés, justement parce qu'il crée sans aucun doute des problèmes de réalisation, tout en permettant d'obtenir des résultats excellents. Il faut utiliser beaucoup de couleur, étalée par couches successives pour ne pas abîmer le travail, en se souvenant que le rasage du velours n'absorbe pas uniformément la couleur. Evidemment, il faut utiliser des couleurs claires très couvrantes sur le velours sombre, comme le blanc glacier de notre exemple.

MOTIFS CELTIQUES

La civilisation celtique est habituellement associée à l'Irlande ou à l'Ecosse alors que sa présence influença la culture de l'Europe entière. L'origine des décors celtiques est très ancienne et se perd dans la nuit des temps. Toutefois les premiers dessins stylisés de cordes tressées et croisées sont déjà présents sur les parois des cavernes habitées à l'âge de pierre: signe clair de l'hérédité culturelle perpétuée par les Celtes. Avec l'avènement du Christianisme, l'art celtique jouit d'un grand développement, mais atteignit son apogée au Moyen-Age. Vu la récupération actuelle du goût décoratif, les motifs celtiques sont revenus à l'honneur et sont employés par les stylistes, les designers et les décorateurs. Repris intégralement, revus et corrigés, simplifiés, ces motifs fascinants représentent un choix idéal pour enrichir les tissus d'ameublement aussi bien que d'habillement. Il existe actuellement dans le commerce une quantité de publications spécifiques sur les décors celtiques, d'où reprendre les motifs, les photocopier, les simplifier et en faire des caches pour pochoir.

Le même motif est utilisé aussi bien sur un coussin en soie sauvage bleue que sur un T-shirt en coton tout simple. Sur le tissu sombre on a utilisé du blanc perlé très couvrant, tandis qu'on a étalé sur le T-shirt une chaude couleur cuite.

Jeans et art celte: un rapprochement insolite mais utile pour rénover un blouson quelconque en tissu de jeans délavé. L'aspect le plus compliqué des dessins celtes est la réalisation du cache, pour lequel on recommande le polyester, plus résistant que la carte de Lyon. Le décor sur coussin rouge a été réalisé avec un azur perlé intense.

La classique spirale celte est employée ici pour la réalisation d'un coussin et d'une paire de short en coton. Nos deux exemples font encore une fois la preuve de la versatilité de ce type de décor, qui, avec un brin de fantaisie, permet beaucoup de variations.

Le «rond celte», riche de significations magiques et religieuses et symbole de l'entrecroisement des destins humains, est un des motifs les plus connus de cet art antique. Là aussi une double proposition: dans les deux cas, la couleur claire sur fond sombre confère au dessin une valeur particulière. Il faut se souvenir que peindre sur fond sombre est toujours plus difficile que peindre sur du blanc, car il est pratiquement impossible de remédier aux erreurs et pour bien faire ressortir la teinte, on doit repasser le pinceau à plusieurs reprises.

ETHNIQUE AFRICAIN

L'Afrique est peut-être le dernier pays où survivent encore des méthodes presque primitives de teinture et peinture des tissus: teintures végétales qui caractérisent les couleurs; tons qui ne s'écartent jamais des noirs, des terres aux tonalités plus ou moins brûlées, des couleurs des épices et des herbes macérées. Tissus écrus et «frais». Faciles à copier, les motifs sont presque toujours obtenus avec des pochoirs ou bien de gros «tampons» taillés dans le bois. Il est assez facile d'inventer de classiques dessins africains, vu qu'ils sont tous basés sur les images stylisées d'éléments naturels: maculés, zébrés, entrelacs de paniers et de roseaux. C'est sans aucun doute la tapisserie la plus nouvelle et originale, mais les tissus décorés de motifs africains sont idéaux aussi pour recouvrir canapés et fauteuils, pour confectionner des nappes et même des tapis.

Lourde toile brute écrue décorée au stencil qui simule les veines du bois. La couleur a été étalée avec un petit rouleau de peintre en bâtiment. On peut colorer avec le rouleau des mètres et des mètres de tissu, il est donc recommandé pour peindre de grandes surfaces d'une seule teinte. L'important est qu'il ne soit jamais trop plein de couleur.

Sur toile claire, le dessin africain classique par excellence, le zébré. Ici le cache est long et étroit (50 x 20 cm) et peut être utilisé ou bien en le mettant côte à côte de manière à former un dessin plein ou bien en créant, comme dans ce cas, des «bandes» parallèles. Ce type de décoration peut être utilisé pour obtenir des coordonnés: par exemple, il est possible de recouvrir le siège d'un fauteuil avec un décor plein et le dossier à rayures, ou vice versa.

Ci-dessous et ci-contre en bas, deux variantes de décors exécutés sur soie sauvage couleur ocre-orange. Ce type de cache est parfait également pour être reporté sur des paillassons ou des tapis en coco.
Pour ce genre de dessins il est conseillé d'utiliser du polyester car, même s'il est plus difficile à découper, il ne se déchire pas aussi facilement que la carte de Lyon.

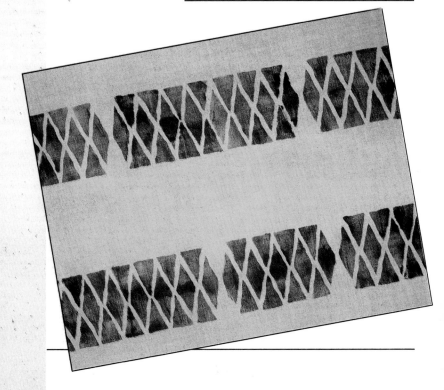

Décor tiré d'une peinture murale d'Afrique Centrale. Le dessin est assez simple mais il faut faire attention car les côtés des carrés sont séparés par très peu d'espace. Quand on peint du tissu avec cette sorte de dessin, il faut utiliser des couleurs classiques, c'est-à-dire qu'il ne faut jamais trop s'écarter du jaune ocre, marron clair, marron brûlé chaud (tendant au rouge) et marron brûlé froid (tendant au vert).

VETEMENTS TACHETES

Il n'y a rien de plus amusant que de décorer T-shirts, pantalons, chaussettes, casquettes en utilisant des décors tachetés, zébrés ou piquetés. Une seule règle à respecter: on doit toujours employer les couleurs classiques de ce style: noir, ocre, marron.

Voici un décor insolite et amusant: le cache, à effet «faux bois», court le long de l'intérieur des pantalons. Il faut utiliser une couleur claire (blanc ou crème) très couvrante.

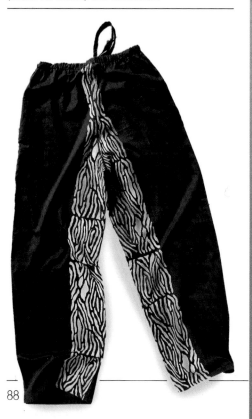

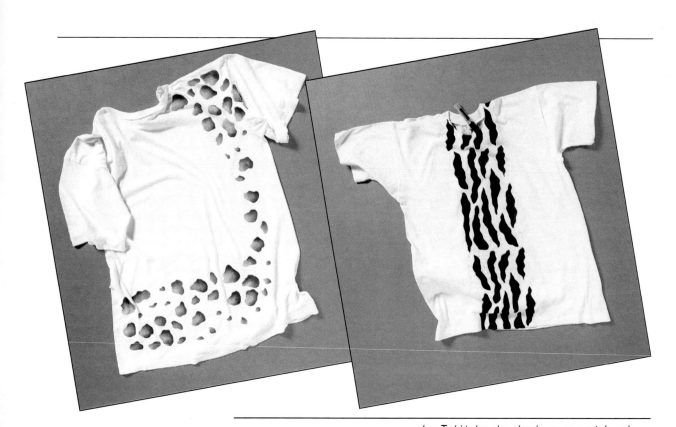

Les T-shirts les plus classiques peuvent devenir originaux avec une bande verticale zébrée rigoureusement noire, ou une «courbe» maculée obtenue selon le système déjà décrit. Pour ces T-shirts, généralement lavés à haute température, il est nécessaire d'utiliser des couleurs fortes et pleines, car elles auraient tendance à se décolorer dans le temps.

Ce T-shirt de coton à manches longues est traversé horizontalement par une bande de motif maculé jaune et marron. Les nuances ont été obtenues en étalant d'abord une base uniforme de jaune ocre, ensuite, avec un pinceau à peine imbibé de marron, ont été exécutées des superpositions de couleur, en veillant à ne pas trop tacher la base jaune.

FANTAISIE A LA CUISINE

*Après des décors plus insolites, voici les
classiques ornementations au pochoir pour le linge
de cuisine. A la différence des caches présentés
dans les pages précédentes, ceux-ci se trouvent
facilement chez les marchands de couleurs et les
magasins spécialisés dans les beaux-arts. Une
grande partie du décor a été effectué avec les
crayons à l'huile, avec lesquels on obtient des
nuances vraiment incroyables.*

Quatre set de table avec leurs serviettes. Même si, à première vue, les décors peuvent sembler pareils, il s'agit en réalité de deux dessins différents, aux couleurs inversées. On a utilisé, pour décorer sur fond sombre, des teintes claires et dorées, sans avoir étalé préalablement une base blanche, généralement inutile avec les couleurs métalliques. Souvenez-vous que ce décor doit être lavé à la main, à l'eau tiède avec du savon délicat.

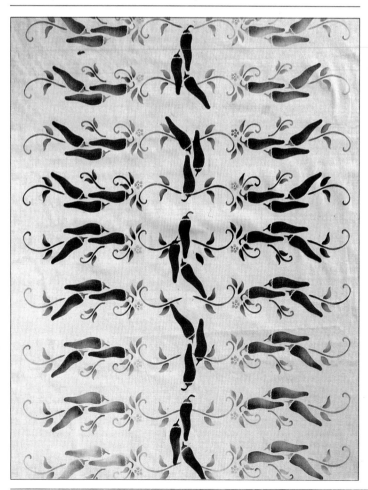

Le pochoir permet de créer des motifs vraiment
originaux: celui-ci «aux piments», plutôt simple,
a été reporté sur toute la surface de la nappe et
répété de manière spéculaire. Pour peindre une
nappe de 2 x 1 m, il faut environ 7-8 heures de
travail continu. La décoration proposée ici a été
réalisée avec des couleurs à l'huile en pastel.

Deux essuie-mains en lin décorés de motif romantiques. Sur le premier, une fantaisie de feuilles de lierre qui forme une bande exécutée avec des pastels à l'huile. Les variations de tons sont obtenues en appuyant plus ou moins fort le pinceau imprégné de couleur.
Pour le deuxième essuie-mains, nous avons utilisé un cache anglais au décor dix-neuvième. La couleur dense a été étalée et repassée plusieurs fois, en utilisant toujours des produits à l'huile en stick. Etant donné qu'il s'agit d'un essuie-mains, il est nécessaire que la couleur soit très intense, car il sera lavé souvent et à haute température.

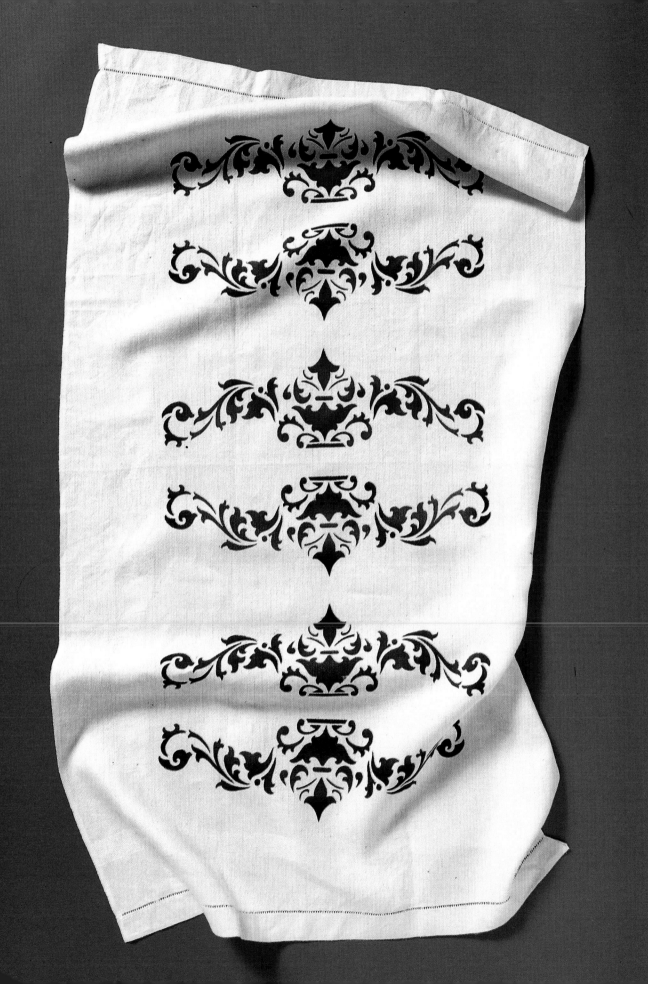

Trois torchons décorés de motifs classiques, exécutés avec une couleur à l'huile en stick avec lequel on réalise des nuances à deux tons. Après l'usage, le pinceau utilisé pour peindre avec les couleurs à l'huile doit d'abord être nettoyé à l'essence de térébenthine, puis lavé à l'eau et au savon.

Le dessin figure des étiquettes de pots de conserve et est réalisé avec des caches tout prêts et des couleurs à l'huile, qui permettent d'obtenir d'agréables tonalités sur le tissu écru.

Quand on peint sur tissu il est bon de réaliser d'abord sur papier le projet de décoration.
Ces serviettes blanches sont un exemple de la manière dont on peut mouvementer le dessin en utilisant les mêmes caches, placés différemment et avec des variations de couleurs.

ROSEMARY   B A S I L   PARSLEY

Le tablier blanc classique est transformé grâce à un sympathique décor de tasses à café et pots de fleurs, réalisé avec des caches tout prêts et de solides couleurs à l'huile étalées en pleine couleur.

Des couleurs brillantes et des sujets d'animaux
(petits cochons, vaches, moutons et oies) pour
égayer le linge de cuisine. Cette réalisation est
un exemple de la manière dont on peut créer
un dessin original sur du tissu en utilisant des
caches petits et très simples. La position des
caches ainsi que la couleur ont d'abord été
étudiées sur papier puis reportées sur tissu:
précaution toujours à prendre quand on peint
sur tissu, même en cas de sujets très simples.

Torchons de cuisine rénovés avec de petits décors répétés avec des variations de couleurs et de dispositions. L'emplacement des caches et la couleur ont été étudiées d'abord sur papier, puis reportées sur tissu. C'est une habitude qu'il faut toujours respecter, même pour les sujets les plus simples.

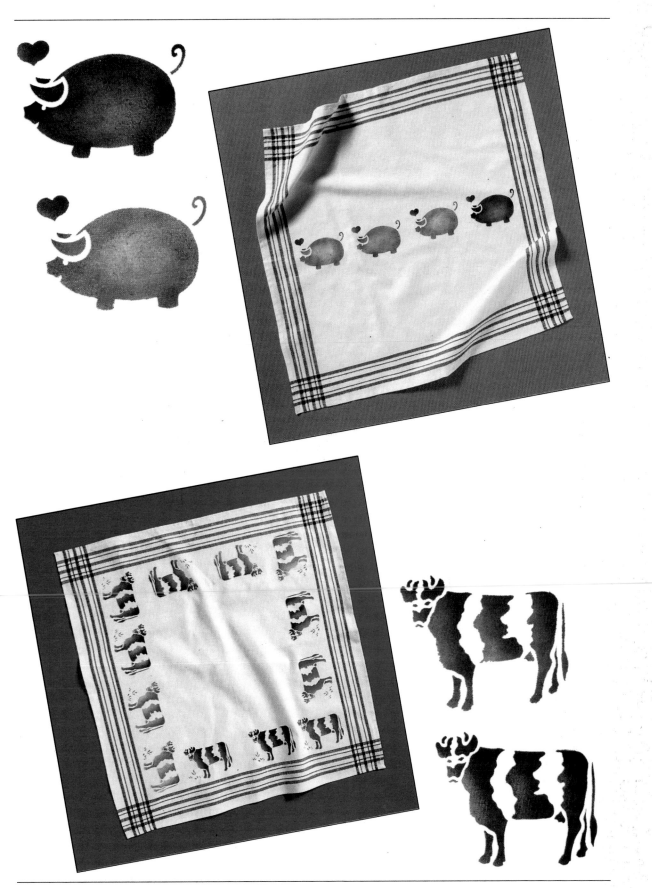

LE MONDE DE L'ENFANCE

Il fut un temps où les femmes enceintes et les futures grand-mères passaient leurs soirées à broder petits draps et couvertures avec une sainte patience. Aujourd'hui, couleurs et pinceaux sont des instruments plus adaptés aux nouveaux rythmes de vie, décidément plus frénétiques : effectivement les techniques picturales sont tout aussi relaxantes, mais certainement plus rapides et immédiates que la broderie.

Drap de bébé de coton jaune clair égayé par un décor au pochoir représentant une allègre famille de petits lapins.
Le dessin est répété sur tout le bord du drap et réalisé avec des pastels à l'huile. Les nuances sont obtenues en diminuant la pression du pinceau.

Un autre drap de bébé, cette fois avec un dessin de petites oies. Dans ce cas les nuances sont obtenues en superposant le rouge au jaune, pour créer un bel effet orangé. Il est toujours plus ardu de peindre sur un tissu de couleur que sur un tissu blanc, car il faut souvent passer la couleur fois pour obtenir un bon résultant.

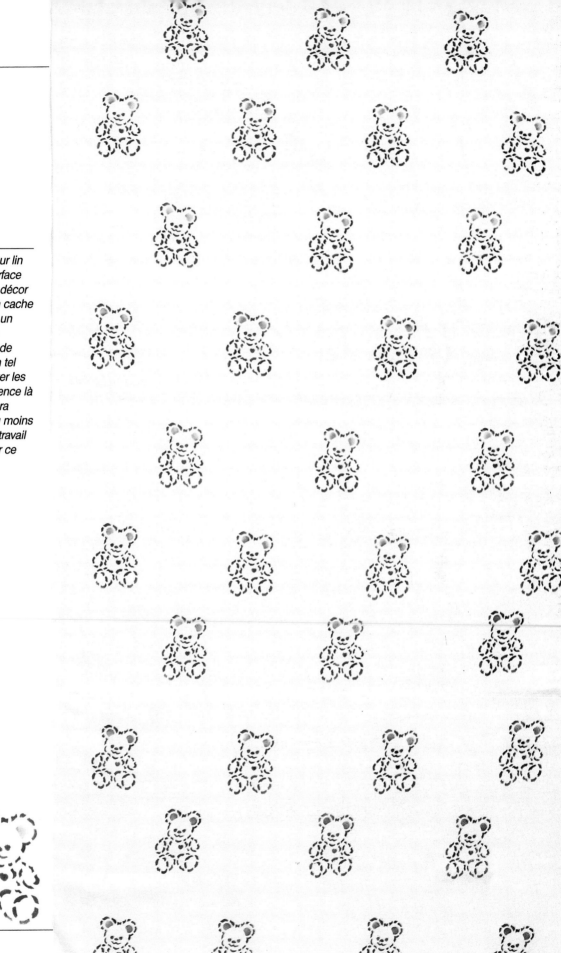

Un rideau en pur lin blanc est la surface idéale pour ce décor réalisé avec un cache qui représente un ourson tout en pointillé. Avant de commencer un tel travail, il faut fixer les points de référence là où le cache sera placé. Il faut au moins 6-8 heures de travail pour compléter ce rideau.

Dessin d'un petit train avec des détails minuscules. Pour réaliser tout seul un cache comme celui-ci, utilisez du polyester et faites particulièrement attention aux petits ponts qui forment le dessin car ils sont vraiment minuscules. Pour peindre des détails délicats de différentes couleurs, il faut utiliser des pinceaux à pochoir très fins.

Il faut vraiment peu de temps pour réussir à faire d'un coussin anonyme un élément original pour la chambre d'un enfant. Les nuances sont simplifiées du fait de l'utilisation des pastels à l'huile qui, solides au départ, évitent l'excès de couleur. Souvenez-vous que sur les tissus foncés comme celui-là, il est nécessaire de passer d'abord un voile de couleur blanc pour créer une base claire.

Un dessin plutôt classique pour la housse du panneau protecteur d'un petit lit. Ce décor est également obtenu avec des couleurs à l'huile solides. Quand le travail sera parfaitement sec (il faut au moins une semaine) les couleurs seront indélébiles et non toxiques.

PEINTURE A MAIN LEVEE

A première vue, cela peut paraître la manière la plus simple de réaliser un décor sur tissu, quoique pour peindre sur tissu «sans filet», c'est-à-dire sans le rassurant cache pour pochoir, il faut avoir une certaine dextérité dans l'usage du pinceau alors qu'il n'y a pas besoin d'être très habile en dessin (pour le dessin en effet on peut toujours remédier en repassant là où l'on s'est trompé).

AVANT DE COMMENCER

Pour peindre à main levée il faut utiliser les couleurs pour tissu semi-liquides en pots. Les plus adaptées sont celles couvrantes, surtout si, comme dans ce cas, on doit peindre un T-shirt en coton. Veillez à avoir à portée de la main papier journal et feuilles de papier pour éliminer l'excès de couleur et exécuter de petits essais, du ruban adhésif de papier pour fixer le tissu ou faire de petits masquages, de l'eau et un chiffon pour nettoyer les pinceaux.

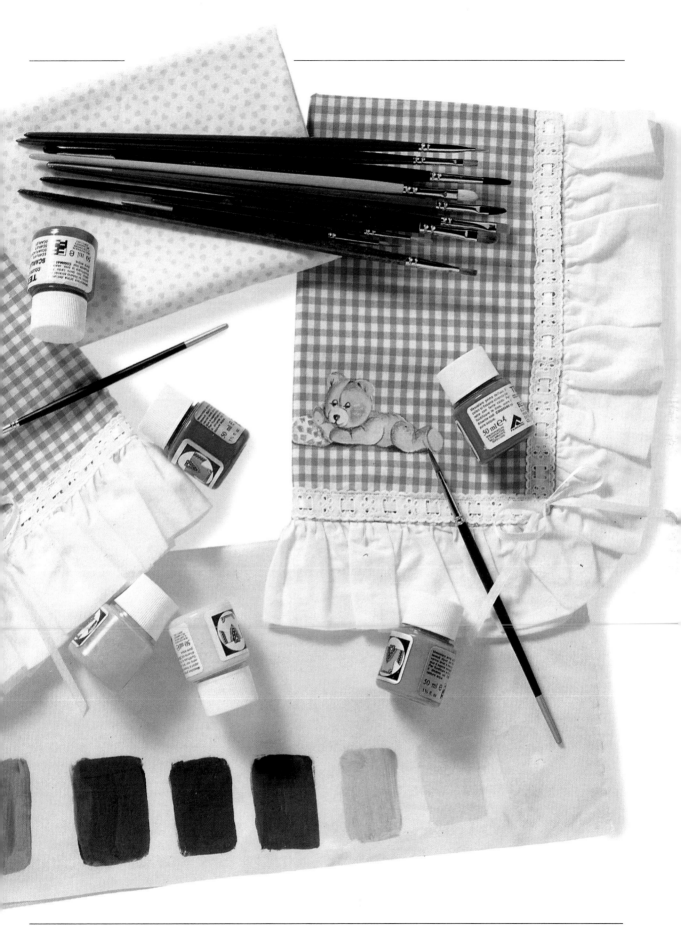

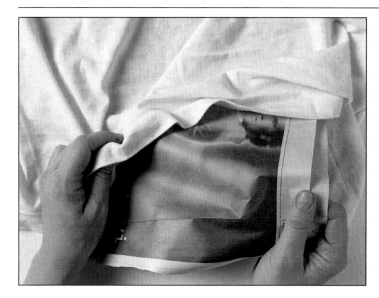

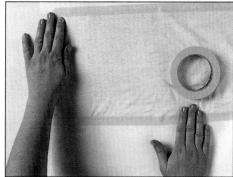

Enfilez à l'intérieur du T-shirt un feuille de journal ou un autre papier, indispensable pour absorber l'éventuel excès de couleur. Fixez le T-shirt sur la table de travail avec le ruban adhésif en papier.

Dessinez à main levée sur le T-shirt le sujet choisi. Suivez votre imagination en vous inspirant de ce que vous voyez autour de vous. Par exemple, ce décor a été inspiré de dessins mexicains sur céramique.

Commencez à peindre en veillant à ne pas trop charger le pinceau, car la couleur ne doit jamais filtrer de l'autre côté. Utilisez des pinceaux souples en martre ou synthétiques. Continuez le décor en faisant attention à ne pas superposer la couleur qui ne devrait jamais se mélanger. Pour les nuances vous utiliserez la méthode du glacis que nous verrons plus loin (p. 77). Faites sécher le décor pendant 6-8 heures, puis repassez-le à l'envers.

MELANGER LES COULEURS

Rouge + jaune = orange
Rouge + bleu = violet
Bleu + jaune = vert
Bleu + jaune + rouge = différentes tonalités de marron et gris, selon le pourcentage de couleurs utilisées.

Souvenez-vous que, additionnées de blanc, toutes ces couleurs éclaircissent, deviennent plus éteintes et plus couvrantes.

On a peint sur ce T-shirt un débardeur à bandes multicolores. Pour ce type de décoration, il est essentiel de ne pas superposer la couleur pour éviter qu'elle se «tache». On a utilisé des couleurs pour tissu acryliques de type transparent.

T-SHIRTS A DECORS MEXICAINS

Le décor de ce T-shirt s'inspire des céramiques mexicaines multicolores. N'importe quel sujet peut être une source d'inspiration: il suffit de regarder autour de soi et de laisser libre cours à sa fantaisie.

Des décors sud-américains simplifiés, faciles à réaliser même pour qui n'est pas très habile en dessin. Souvenez-vous que l'élément le plus important pour ces décors est la combinaison des couleurs. Avant de commencer à peindre le tissu, faites toujours des essais pour obtenir les meilleures combinaisons. Dans ce cas, de chaudes tonalités jaunes et rouges une fois rapprochées, créent tout de suite un effet gai et lumineux.

COUSSINS MULTICOLORES

Pour décorer la soie (en dehors de la soie sauvage ou brillante, présentés parmi les matériaux), il faut en général des couleurs spéciales, tandis que pour les coussins ou les serviettes de table on peut aussi utiliser les couleurs traditionnelles qui, étant donné qu'elles ont plus de corps, créent une surface plus rigide au toucher. L'originalité de ces décors réside dans les variations de tons: dans nos exemples, nous avons réalisé des coussins qui ont l'air de la palette de couleurs d'un peintre. Pour obtenir ces tonalités, il n'est pas nécessaire d'avoir une vaste gamme de coloris à disposition, mais simplement de mélanger les couleurs primaires, en jouant sur la quantité. Bien que ce ne soit pas un travail difficile, il est recommandé de faire d'abord plusieurs essais.

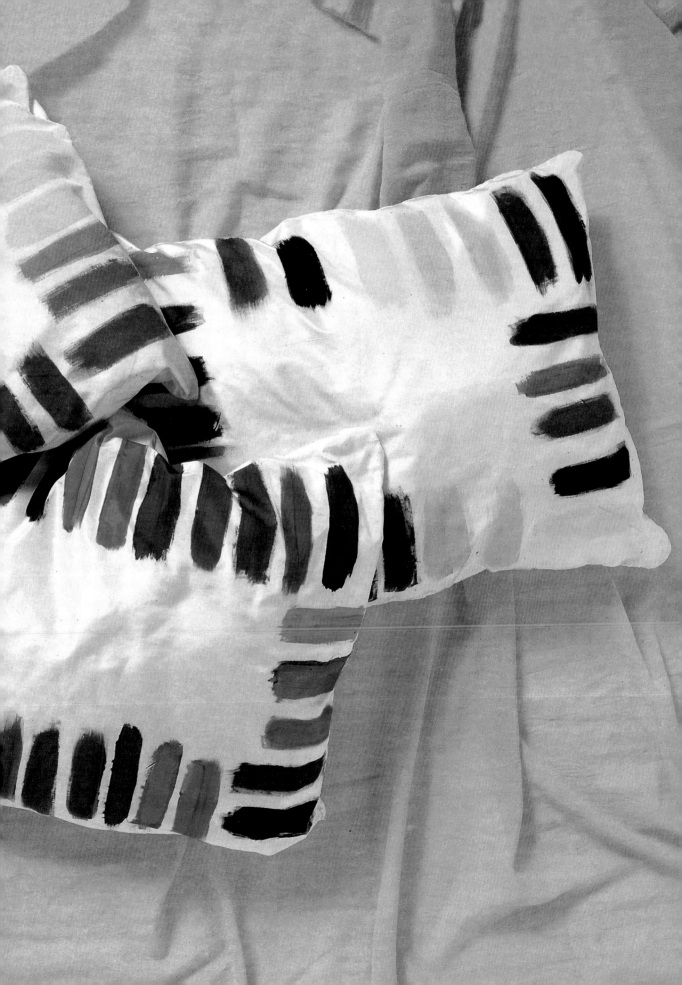

EFFET DE TROMPE-L'ŒIL

Il ne faut sûrement pas être novice pour réaliser un type de peinture comme celui que nous présentons dans les pages suivantes. Mais, même dans ce cas, la règle, selon laquelle si l'argument intéresse beaucoup et stimule la créativité, les résultats et les satisfactions ne manqueront pas, reste valable.

En dehors du matériel déjà indiqué pour la peinture à main levée il faudra du papier millimétré, du papier carbone et un crayon.

Choisissez dans un livre pour enfants quelques illustrations sympathiques et décalquez-en le contour sur du papier transparent. Reportez ensuite le dessin sur le tissu avec du papier carbone courant ou du papier pour broderie.

Placez sous la partie à peindre une feuille de papier blanc qui absorbe les infiltrations de couleurs éventuelles. Si le tissu n'est pas blanc couvrez toute la surface du dessin avec une couche de blanc. Ainsi seulement les couleurs auront des tons brillants.

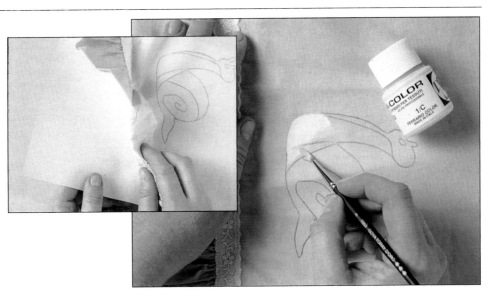

Bordez de papier tous les côtés du tissu, en ne laissant découvert que l'espace à décorer. Entre temps le blanc aura séché. Passez une première couche de couleur pleine et si vous ne voulez pas prendre de risque, copiez directement les couleurs de l'illustration.

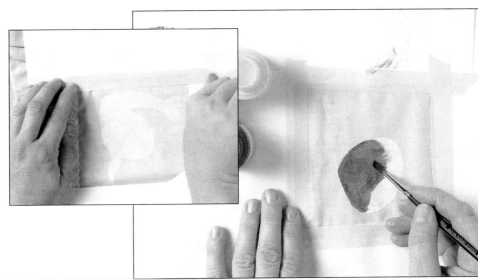

Laissez sécher 10 minutes et procédez en peignant tous les détails avec le pinceau à pointe fine. Faites sécher de nouveau pendant 10-15 minutes le second passage de couleur, ensuite exécutez de légers glacis de couleur. Pour l'effet «trompe-l'œil» la couleur ombre doit voiler et non couvrir.

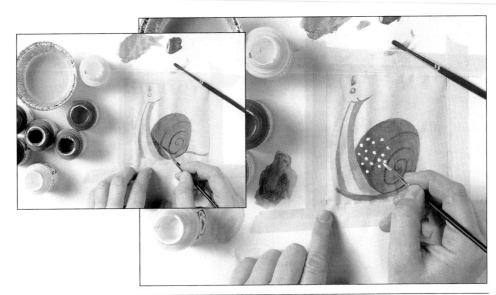

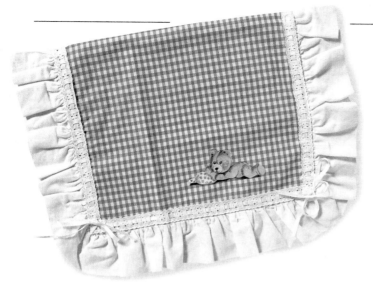

Dans cette page, un drap avec taie assortie pour le lit d'un bébé. Le tissu Vichy à carreaux rend le décor plus frais. En ce qui concerne les couleurs, celles adoptées ici sont à l'eau et absolument pas toxiques, pour garantir la plus grande sécurité au bébé.

Encore un drap de bébé avec sa taie décorés de coccinelles porte-bonheur et de marguerites. Le dessin a été décalqué dans un livre de sciences pour enfants. Sur ce tissu aussi (un très fin coton blanc) on a d'abord étalé un fond blanc pour permettre à la couleur de se fixer sans pénétrer à travers la légère trame. On a utilisé trois pinceaux de martre à pointe ronde n. 1, 2 et 3.

Les housses des coussins en chintz sont la base
idéale sur laquelle reporter ces images d'animaux
tirées d'un magnifique livre illustré pour enfants.
Passez d'abord une couche de couleur blanche.
Laissez sécher et procédez à la décoration.
Faites sécher et repassez à l'envers pour fixer
la couleur.

COULEURS EN TUBE

Très colorées, enrichies parfois de minuscules brillants, perlées ou encore transparentes, ce sont les couleurs en tube les plus nouvelles, qui permettent vraiment de donner à l'étoffe des effets spéciaux. On les trouve dans le commerce dans des tubes commodes avec bec distributeur, ils conviennent pour les dessins petits et répétitifs, tels que les étoiles, les pois et les petites spirales. Incroyablement éclectiques, on peut les utiliser non seulement sur le tissu mais aussi sur d'autres supports comme le verre, le métal, le bois et le cuir.

On a les résultats les plus amusants avec une pâte colorée spéciale, qui au contact de la chaleur se gonfle en créant une sorte de relief. On l'étale directement du tube sur le tissu, on laisse sécher, puis l'on repasse à l'envers.
Si vous notez une imperfection pendant la phase du passage de couleur, trempez le vêtement dans l'eau bouillante et lavez-le au savon neutre.
Tous les tissus décorés avec ces pâtes colorées doivent être lavés à la main, délicatement, dans l'eau tiède.

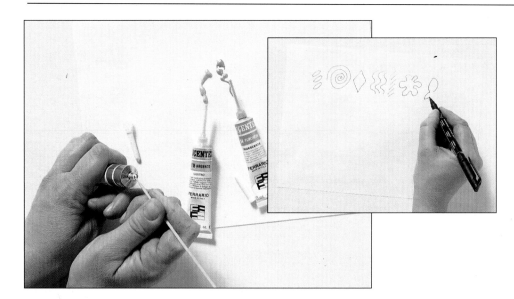

Trouez avec un petit bout de fer le bouchon de sécurité en aluminium des tubes de couleur en faisant très attention aux éventuelles éclaboussures. Refermez avec le bouchon.

Dessinez au crayon le décor choisi sur une feuille de papier blanc.

Toujours sur le papier exécutez le premier essai avec la couleur en tube.

Reportez le dessin sur le tissu (dans notre cas une paire de jeans).

Etalez les différentes couleurs en veillant à ne pas salir les parties décorées.
Ce travail doit être exécuté d'une main ferme, très rapidement, sinon les lignes seraient tremblées.

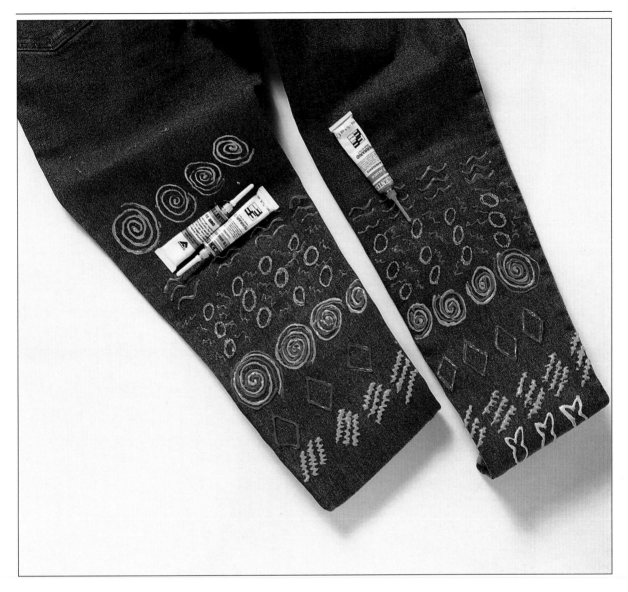

Avec cette technique il est aussi possible de décorer d'autres objets recouverts d'étoffe, des abat-jour, des agendas. On peut exécuter les décors sans suivre de dessin de base, il faudra par contre exercer un mouvement constant pour obtenir un effet décoratif logique. On a utilisé ici un jaune brillant et une couleur transparente enrichie de petits brillants.

La bande latérale formée de quatre différents types de fleurs stylisées et peintes de couleurs diverses donne de l'originalité à une courante paire de jeans. Souvenez-vous qu'il vaut toujours mieux faire le projet du dessin de manière à ce qu'il y ait une certaine harmonie dans la forme et la combinaison des couleurs. Continuez à faire des essais jusqu'à ce que vous soyez satisfaits du résultat final.

Voici une idée à exploiter pour un cadeau qui sera sûrement apprécié: des petites chaussures en coton très économiques décorées avec des couleurs en pâte avec au choix, des pois, de petites spirales, des fleurettes, des étoiles ou, comme dans la photos, des petites poules jaunes.

Un gilet en denim peut devenir un ciel étoilé s'il est décoré avec des couleurs scintillantes en pâte. Une fois secs (au bout de 10-12 heures) ces produits seront parfaitement lavables à l'eau pas trop chaude.

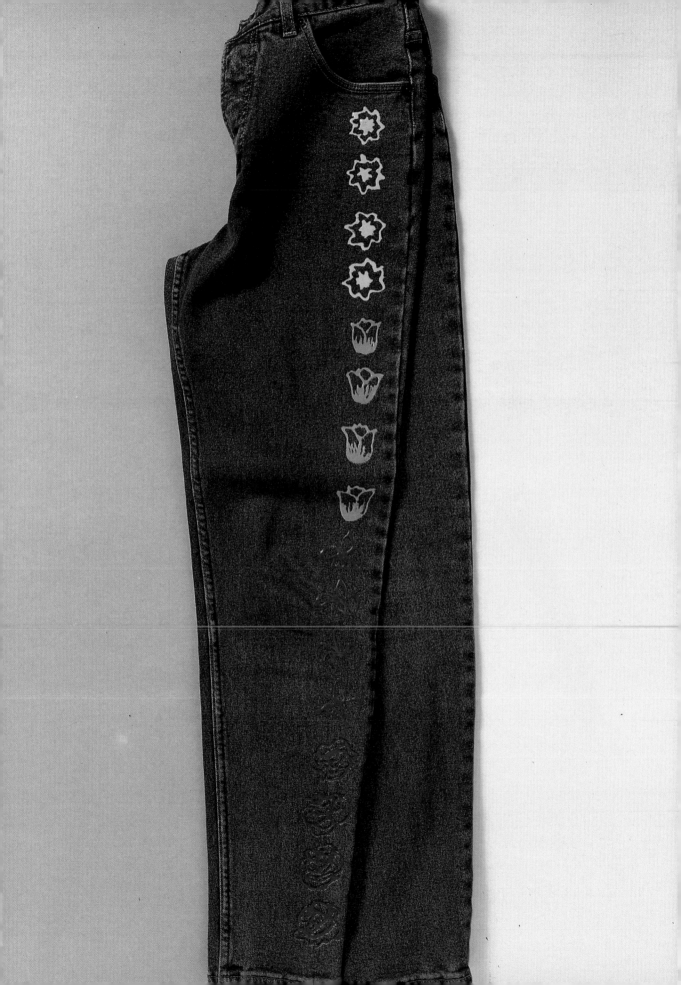

ABAT-JOUR CREATIFS

Voici une série d'abat-jour décorés. On a d'abord étalé sur le fond blanc une couche de couleur pour tissu, une fois sèche, on a exécuté les décors avec une pâte brillante bleue et jaune pour les abat-jour les plus petits, avec de la pâte de plomb et de la pâte additionnée de petits brillants pour les deux plus hauts. Les abat-jour ainsi décorés peuvent être tranquillement dépoussiérés et lavés avec une petite éponge humide. Au bout de 24 heures environ, les couleurs et les pâtes seront parfaitement sèches et indélébiles.

L'ART SUR TISSU

Stefano Lucarini est un «artiste» du tissu peint artisanalement: entre ses mains, les étoffes les plus nobles comme le velours de soie et les plus humbles comme le jute et les toiles indiennes se métamorphosent. Stefano mêle avec un extrême bon goût les influences ethniques et les éléments fantastiques, en se servant de techniques antiques pour les teintures. Impressions avec poudres dorées, pochoirs qui s'entrelacent aux trames effilochées des tissus, jeux de couleurs et d'incrustations. Tout ce qui sort de la boutique de Lucarini a toujours un étrange parfum d'antique et de moderne à la fois, qui rend ses créations fascinantes et intemporelles.

Tapis de table
rectangulaire
(240 x 150 cm),
réalisé en velours de
soie peint à la main
selon une méthode
au pochoir avec de
délicats pigments.
Dessin classique,
mais revisité, de la
tapisserie baroque
française du
XVIIe siècle.

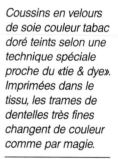

Coussins en velours de soie couleur tabac doré teints selon une technique spéciale proche du «tie & dye». Imprimées dans le tissu, les trames de dentelles très fines changent de couleur comme par magie.

MOTIFS POUR POCHOIR

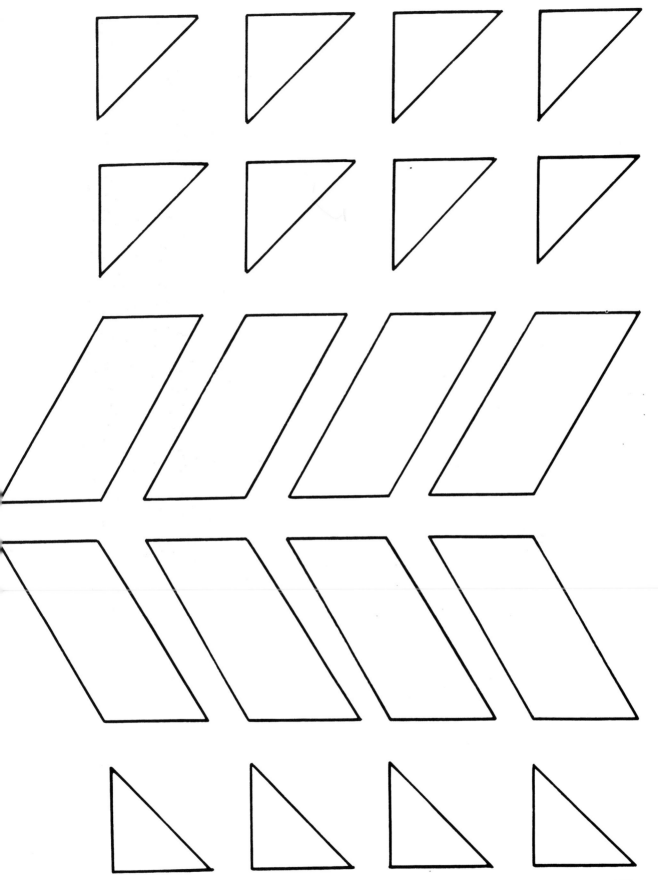

REMERCIEMENTS

A toutes mes précieuses assistentes: Chiara di Pinto qui a réalisé tous les tissu et les vêtements
en «tie & dye»; Romina Pizzamiglio, Monica Cresci, Simona Baccarini, Silvia Fagnoni,
Marna Sommavilla pour les décors au pochoir et à main levée.
Aux entreprises:
APA-FERRARIO de Bologne pour les couleurs liquides et en tube pour tissu et pour les pinceaux
et les feutres pour tissu;
HAMMELEY de Venise pour les teintes BATIK DEKA et les couleurs pour la peinture sur soie;
IMPORTOREX de Milan pour les teintures en lave-linge MARABU;
PEBEO pour les couleurs MARBLING, nécessaires pour obtenir un effet marmorisé sur tissu;
Au magasin DURININOVE, importateur exclusif pour l'Italie des pastels à l'huile pour pochoir
MARKALL et pour les caches américains;
A 3M ITALIA pour la colle repositionnable en vaporisateur;
Au marchand de couleurs MERCANTI de Milan, pour son soutien pendant tout le travail
de ce manuel;
A MIMMA GINI pour la mise à disposition des étoffes exclusives de son magasin
«Tessuti Mimma Gini»;
A la boutique pour bébés PISOLO de Milan, pour les petits draps que j'ai peints en trompe-l'œil;
A l'artiste-artisan Stefano Lucarini pour les velours peints à la main;
A l'illustrateur Tony Wolf, présent involontairement, dont je me suis inspirée pour les animaux peints
à main levée.
Et, enfin, je remercie Francy et Giappy qui m'aiment encore même si je joue de moins
en moins avec eux.

Pour l'édition italienne:
Photos: Alberto Bertoldi et Mario Matteucci
Projet graphique et mises en pages:
Paola Masera et Amelia Verga
Pour l'édition française:
Traduction: Anne Marie Guez
Coordination éditoriale: Cristina Sartori
Rédaction: Nicoletta Lattuada
Couverture: Studio Break Point
Photocomposition: G&G computer graphic, Milan